Openbare Bibliotheek
D0344254

Margreet den Buurman

Wolfskers

Verhalen

Uitgeverij Aspekt

Wolfskers

Amersfoortsestraat 27, 3769 AD Soesterberg, Nederland
info@uitgeverijaspekt.nl – http://www.uitgeverijaspekt.nl
Omslagontwerp: Mark Heuveling
Binnenwerk: Paul Timmerman, Amersfoort
ISBN: 97-890-5911-911-6
NUR: 300

Inhoud

Omtrent Richie S.

een relaas

Proloog

Overdag gaat het nog, maar 's nachts komen de spoken. Misschien kent u dat verschijnsel. Dertig jaar ben ik politiefunctionaris geweest, waarvan de laatste tien jaar op het bureau zware gevallen. Zeg maar dat alles uit de rafelrand van de samenleving in mijn kantoor terecht kwam voor een eerste verhoor, om alvast de ruis eruit te halen. Het waren vaak mensen in verwarde, dramatische omstandigheden of zware jongens, die vers afkomstig van het misdrijf bij mij werden afgeleverd om een rapport op te stellen. Geen eenvoudig werk.

Misschien bent u wel treinmachinist, met de ervaring van een paar mensen per jaar die voor de trein springen. Of zit u op een ambulance, of werkt u op een kantoor in een slopende functie waar u om allerlei redenen – hypotheek, gezin te onderhouden – niet uit kunt ontsnappen. Dan begrijpt u mij en dan kent u het verschijnsel dat overdag alles onder controle is, maar 's nachts de spoken aan u voorbijtrekken waardoor u niet in slaap kunt komen. U rilt plotseling bij het beeld van de man of vrouw die voor de trein springt, van de eenzame bejaarde die dood werd gevonden, van de hartstilstand en verkeersongelukken, van de rellen op straat met gewonden, de akelige chef waar u niet omheen kunt, met een nare club collega's en het geestdodende werk waar niet aan te ontsnappen valt.

Bij mij ging het om aanhoudingen wegens diefstal, doodslag of erger en de stoet delinquenten die voorbijtrokken: in alle gevallen veranderde door een misdrijf het leven van ten minste één persoon van de ene seconde op de andere. Vaak werd door razendsnelle beslissingen een mensenleven ternauwernood gered.

De beelden van dit alles blijven nog lang op het netvlies hangen en vormen zich om in middernachtelijke horrorscenario's.

Vroeger was ik trots op mijn beroep. Boeven vangen vond ik een edel streven waarin ik het kwaad bestreed en het goede probeerde te waarborgen. Omdat ik een gezin had met vier kinderen op rij, dacht ik 's avonds niet al te diep na over wat er die dag aan mij was voorbijgetrokken. Ik deed het goed, dat vond ik althans, en ik was ambitieus.

Het onregelmatige werk had echter een hoge prijs: mijn vrouw vroeg een echtscheiding aan en ze nam de kinderen mee. Jaren leefde ik daarna vrij ongecompliceerd, want ik vond dat ik het goede diende. Met mijn ex-vrouw maakte ik goede afspraken over de kinderen.

Ik was een druk bezet man die aanzien genoot en wat mij betreft was er geen vuiltje aan de lucht totdat ik met pensioen ging en ik als afscheidscadeau een vissersuitrusting kreeg. Ik besefte dat mijn rol was uitgespeeld.

Gedurende de jaren daarna genoot ik van mijn vrije tijd. De weekenden waren gevuld met bezoekjes die ik aflegde bij mijn kinderen en kleinkinderen, naast hobby's die ik oppakte om aan de gang te blijven. Ik fotografeerde niet onverdienstelijk en had mij ingeschreven bij een kookclub om iets om handen te hebben.

Totdat de beelden 's nachts aan mij voorbijtrokken en ik vaak zwetend wakker werd. Ik verzwakte en begon te tobben. Vooral Richie S. liet mij niet los, waarschijnlijk omdat hij mijn laatste grote zaak was geweest. Bovendien stond Richie voor velen die ik niet van een gewisse ondergang had kunnen redden.

Op een zeker moment was het Richie die mij het meest bezighield en dit irriteerde mij dusdanig, dat ik mijn oude agenda's tevoorschijn haalde en erin bladerde totdat ik het jaar vond waarin zijn zaak speelde. Het was 1998. Nu kon ik de beelden een plaats geven door aan de hand van mijn notities de gebeurtenissen te reconstrueren. Waarom ik dit deed? Misschien wilde ik dat de Richies op deze aardbol niet voor niets waren gestorven. Ook was het eigenbelang, want ik zou graag met een zuiver geweten mijn ogen sluiten als mijn tijd gekomen is. Voordat het zover is wil ik nog wat mooie jaren hebben, zonder 's nachts door spoken te worden geteisterd.

1

De vader die bij mij naar binnenstapte voor een eerste verhoor begon meteen te praten. 'Ik zal u vertellen', zei hij terwijl hij amicaal op de stoel voor mijn bureau plofte, alsof we elkaar al jaren kenden, 'van mij mag hij hangen aan de hoogste boom. Ik zal er niet om treuren als hij levenslang achter slot en grendel gaat.'

'Laten we eerst eens zien wat u weet', antwoordde ik beduusd. Zo voortvarend had ik nog nooit een ouder over zijn kind horen oordelen. Meestal proberen ouders het onderste uit de kan te halen voor wat betreft de legitimatie van het gedrag van hun kind. Ze praten als Brugman om het oordeel over hun kroost te verzachten. Deze man keek mij aan met toegeknepen, priemende oogjes en bijna zou ik het in zijn plaats opnemen voor Richie S., als hij niet verdacht werd van moord op een jong meisje in de bloei van haar leven. Ik moest dus razendsnel kiezen en koos de kant van de radeloze ouders van Marion, een meisje van nog geen twintig dat dood in haar huis was gevonden.

'Nooit heb ik iets aan hem gehad', vervolgde hij. 'Altijd moeilijkheden. Mijn vrouw is er ziek van geworden. We willen niks meer met hem te maken hebben.'

'Hij is dus op de bewuste avond gewoon thuis komen eten en slapen', informeerde ik op een formele toon om mijn verwarring over zijn gedrag te maskeren.

'Slapen weet ik niet', antwoordde de vader van Richie S. 'Hij slaapt in het tuinhuis. Altijd nam hij grietjes mee naar huis. We hebben hem een eigen hok gegeven.'

'Zo, zo', mompelde ik terwijl ik met mijn balpen op een blocnote tikte. 'Dus u weet niet of hij na het eten nog is weggegaan?'

'Kan best zijn', antwoordde de vader.

'Hij zou samen met u voetbal hebben gekeken', zei ik plotseling scherp. 'Dat herinnert u zich toch nog wel?'

'Luister', antwoordde de vader. 'Voor mijn zoon heb ik een black out. Alles hebben we geprobeerd. Jeugdzorg, een internaat, een leerwerkstage, we hebben een hok voor hem getimmerd en hij blijft rotzooi trappen en niet deugen. Ik heb twintig jaar op de vrachtwagen gezeten om die jongen kansen te geven. Mijn dochter Herma, nooit ergens last mee gehad. Goed, Herma rotzooide ook weleens en kreeg een kind op haar vijftiende dat wij in huis hebben genomen, maar nu heeft ze een nette vriend en een eigen kapsalon. Aan ons heeft het niet gelegen. Maar Richie... Weet u hoe vaak hij thuis de boel kort en klein heeft geslagen? Zomaar? Ik heb mijn vrouw, zijn eigen moeder, tegen hem in bescherming moeten nemen. Ze is bang voor haar eigen zoon.

En wat hij nu heeft geflikt... we durven ons nergens meer te vertonen. Iedereen in het dorp kijkt ons met de nek aan. En waarom? Hij is een rotte appel. Klaar.'

'Dus hij kan die avond nog vanuit Tollebeek naar Emmeloord zijn gereden?', herhaalde ik mijn vraag op een andere manier. Intussen vroeg ik mij af wie zijn kinderen in vredesnaam Richie en Herma noemde, een buitenlandse naam en een oer-Hollandse, ongetwijfeld afgeleid van Hermien, alsof ze van twee verschillende vaders waren.

'Kan best zijn', antwoordde de man grimmig. Losjes leunde hij achterover in zijn stoel. 'Hij ging vaak 's avonds nog de hort op.'

'Ja, luister nu eens', zei ik geïrriteerd omdat de man maar zat te zwetsen, 'we hebben het niet over diefstal van snoepjes bij Jamin, we hebben het over moord op een jonge vrouw. Een ex-vriendin van Richie heb ik begrepen. Dit is een ernstige zaak. Uw zoon zit voorlopig vast en tot nu toe ontkent hij. Hij zou de hele nacht thuis zijn geweest.'

'Nogal wiedes', antwoordde de man op een toon alsof hij zeker van zijn zaak was. 'Hij liegt zich overal uit. Ik zeg u dat hij het gedaan heeft. Hij had overal grietjes zitten in Emmeloord. Wat hij met ze uitspookte hoef ik niet te weten.'

'Heeft hij nu wél die bewuste nacht thuis geslapen of niet', herhaalde ik ongeduldig. 'Zag u licht branden? Hoorde u hem weggaan of thuiskomen?'

'Ik zei al dat hij slaapt in een hok naast ons huis', antwoordde de man terwijl hij opstond. 'Hij komt en gaat wanneer hij wil. Ik zag het ook liever anders, maar zo is het.'

'Best', antwoordde ik losjes alsof de hele zaak mij verder niet meer interesseerde. 'U kunt gaan en uw vrouw binnen roepen.'

'Moet dat nu allemaal', zei hij opeens driftig. 'Ik heb u verteld wat ik weet, daar hoeft mijn vrouw toch niet aan te pas te komen? Ze is op van de zenuwen en staat strak van de pillen.'

'Dankuwel', besloot ik onze conversatie. 'U kunt uw vrouw binnenlaten.'

Ik stond op vanachter mijn bureau en beende naar de deur om mijn collega op de gang een seintje te geven. 'Dit loopt niet lekker', fluisterde ik toen hij even later naast mij stond. 'Ik heb liever dat je erbij blijft.' Intussen stapte er een gezette vrouw in een vlammend rode jurk naar binnen. Ook zij begon onmiddellijk te praten.

'Ik zeg het maar meteen, het is een wonder dat ik hier ben', begon ze haar litanie. 'Beroerd ben ik ervan. Sinds Richie vastzit heb ik geen oog dichtgedaan. Hij was nooit een lieverdje, maar dit... hoe heeft hij het kunnen doen. In het dorp kijkt iedereen mij met de nek aan. Mijn man en ik willen niks meer met hem te maken hebben.'

'Goed, goed', suste ik terwijl ik met mijn vingers op mijn bureau trommelde. 'Weet u of hij op de bewuste nacht thuis is geweest?'

'Hoe moet ik dat weten', riep ze. Ze verhief haar armen theatraal in de lucht. 'Ik was als de dood voor hem. Hij heeft mij een keer met een mes bedreigd. Hij kwam en ging wanneer hij wilde. Mijn dochter kan daarover getuigen. Ze kwam die avond met haar vriend bij ons eten, haar kind woont bij ons in huis ziet u, Richie was er ook om samen met pa voetballen te kijken en daarna weet ik nergens meer van. Ik heb het kind in bad gestopt en ben gaan slapen.'

'Zo, zo', zei ik. Koortsachtig dacht ik na over een manier waarop ik meer uit deze vrouw zou kunnen krijgen. Ze voerde hetzelfde toneelstuk op als haar man, waardoor het mij teveel leek mij op afgesproken werk. Ik vermoedde dat ze van Richie afwilden en voor de vorm deden alsof ze niets wisten, iets wat regelmatig gebeurt.

'Uw man vertelde anders dat u 's avonds laat nog even achterom bent gegaan, om Richie te vertellen dat er iemand van zijn werk had gebeld. Hij moest die maandagochtend eerder komen, omdat ze met een tekort aan mankracht zaten. Toen u weer naar binnen stapte vertelde u hem dat Richie er niet was.'

Mijn aanpak werkte. Haar mond viel wagenwijd open, om daarna onmiddellijk weer voor de aanval te kiezen.

'Mijn man kletst, het enige wat ik niet wilde was dat Richie op zondagavond nog uitging. Hij had dat baantje bij dat schoonmaakbedrijf pas. Ik wilde niet dat hij rotzooi ging trappen. Normaal ging hij ook niet uit op zondag.'

Ik knikte naar mijn collega die driftig aantekeningen maakte. 'We zouden ook graag uw dochter spreken', vervolgde ik. 'Kunt u regelen dat ze hier vanmiddag langskomt?'

'Wat moeten jullie met dat gegraaf bij ons!', riep ze plotseling fel. 'Wij hebben helemaal niks met die zaak te maken.

Richie is een rotte appel. Klaar uit. Hij heeft nooit willen deugen. Mijn hele gezin ligt aan gruzelementen. En dan wilt u ook nog mijn dochter erbij slepen?'

'We moeten alle mogelijkheden nagaan mevrouw', zuchtte ik. 'U wilt toch ook niet dat Richie onschuldig levenslang krijgt. Zó erg kan hij niet zijn. Hij heeft recht op een gedegen onderzoek.'

'Het zal allemaal wel', antwoordde ze met ingehouden woede. 'Ik zal mijn dochter bellen, als u ons daarna maar met rust laat. Wij zijn geen asocialen zoals in de krant heeft gestaan. Alles hebben we geprobeerd met Richie. Nu zoeken jullie het maar met hem uit. Wij willen er verder niets mee te maken hebben.'

'U moet samen met uw man beschikbaar blijven', antwoordde ik met een wuivend handgebaar. Wat mij betreft kon ze gaan. 'Zo is de procedure nu eenmaal. Vertel uw dochter dat ik haar om twee uur vanmiddag op het bureau verwacht.'

'Best', antwoordde ze resoluut. 'U zal hetzelfde horen.'

'Mijn collega brengt u naar uw man', vervolgde ik met een knikje. 'Kijk nog even wat ze doen', fluisterde ik toen hij mij passeerde om haar naar buiten te volgen. 'Ik vertrouw het niet.'

Die middag om twee uur stapte er een spichtig, blond meisje naar binnen in mijn kantoor. Ze was rond de twintig jaar oud en droeg een versleten, vaalblauw joggingpak. Haar korte haren had ze strak met gel achterover gekamd, waardoor haar smalle, bleke gezicht door niets werd verzacht. In tegenstelling tot mijn vermoeden van twee verschillende vaders, leek ze sprekend op haar broer Richie. Ze bewoog zich net zo sluipend en onzeker als haar broer. Bij Richie vroeg ik mij daarbij verwonderd af hoe iemand met de uitstraling van een kruimeldief, in staat was gruwelijke daden te begaan als moord. Zijn zus leek op een geslagen hondje, dat angstig uit haar ogen keek, omdat ze nooit wist wanneer de volgende klap zou vallen. Als ik nog op straat zou surveilleren, had ik haar voor een junk gehouden.

Nadat ze tegenover mij was gaan zitten haalde ze een pakje shag uit een klein, zilverkleurig rugzakje. Ze begon een sigaret te rollen. Toen ik haar vertelde dat er niet mocht worden gerookt, haalde ze haar schouders op en stopte ze haar pakje shag terug in haar rugzakje.

'Vind je het erg van je broer', zei ik vriendelijk om het gesprek te openen. Ik wilde meer van haar te weten komen dan ik uit haar ouders had gekregen. Ik moest dus haar vertrouwen zien te winnen.

'Ach, ik weet het niet', antwoordde ze terwijl ze haar schouders weer ophaalde. 'Richie spookt zoveel uit.'

'Kom', vervolgde ik. 'Er is een meisje zoals jij vermoord, dat is toch vreselijk. Denk je dat Richie er iets mee te maken heeft?'

'Richie is een rotgozer, maar hij zou nooit iemand kunnen vermoorden', zei ze plotseling vastberaden.

'Zo, daar denken je ouders toch anders over', antwoordde ik verrast. 'Van je vader mag hij levenslang krijgen.'

'U moet niet naar hem luisteren', zei ze fel. 'Hij haat Richie.'

'Weet jij misschien of hij op de bewuste zondagnacht thuis heeft geslapen', zei ik om van onderwerp te veranderen. Het was duidelijk dat iedereen elkaar in dit gezin afviel, dus hoe betrouwbaar was hun informatie nog? Van mijn collega had ik intussen gehoord dat haar ouders zich niet in hadden kunnen houden op de gang. Op hoge toon had de vrouw haar echtgenoot terechtgewezen over zijn disloyaliteit aan haar versie van het gebeurde die zondagavond.

'Ik ben weggegaan met mijn vriend toen Richie samen met mijn vader voetbal ging kijken', antwoordde ze. 'Dus dat weet ik niet.'

'Heb je die avond nog iets van hem gehoord? Vertelde hij misschien dat hij zou uitgaan?', opperde ik. Ze zweeg en keek mij onderzoekend aan.

'Mijn vader is een klootzak', snotterde ze plotseling. Ze begon te huilen. 'Ik wil Richie zien. Hij heeft niks gedaan.'

'Zo, zo', mompelde ik terwijl ik een doos tissues naar haar toeschoof. 'Richie zit voorlopig vast. We hebben sterke aanwijzingen dat hij dat meisje heeft vermoord. Hij kende haar. Weet jij daar misschien van?' Ik moest het ijzer smeden nu het heet was, en maakte een gebaar naar mijn collega. 'Lust je koffie? Thee of cola misschien? Heb je al gegeten?' Ik vermoedde dat ze meer wist dan ze los wilde laten, en moest haar vast zien te houden.

'Cola graag', snotterde ze. 'En een broodje kaas.'

'Ik kan doorverwijzen naar maatschappelijk werk', zei ik vriendelijk nadat mijn collega was verdwenen om cola en een broodje kaas te halen. 'Een steuntje in de rug kan je wel gebruiken. Heb je werk?'

'In de kapsalon van mijn vriend', antwoordde ze zachtjes. Ze leek zichzelf enigszins te hernemen. 'Waarom woont je dochtertje niet bij jou, maar bij je ouders? Wilde je vriend het kind misschien niet hebben?' Ik zag dat ze bij deze vraag begon te breken. Gelukkig stapte op dat moment mijn collega naar binnen met een blikje cola en een klef broodje kaas uit de kantine.

'Het kind is van mijn vader', zei ze plompverloren terwijl mijn collega de cola voor haar neerzette. 'Daarom zegt hij niks. Richie weet ervan, vraag het maar aan Richie.' Geschokt zweeg ik. Ik viste in troebeler water dan ik had vermoed. Zeg maar gerust dat we dreigden in een moeras te zinken. Maar het ging om Richie. Ik moest bij de les blijven. De andere rotzooi die boven kwam drijven kon ik doorschuiven naar maatschappelijk werk.

'Dat is beroerd Herma', antwoordde ik beheerst. 'Heel beroerd. Daar moet je binnenkort maar eens met iemand over praten. Wat wij echter willen weten is of Richie die bewuste nacht bij dat meisje is geweest. Dat moeten we heel zeker weten. Begrijp je dat? Het gaat om Richie.' Ze knikte.

'Ik was er niet', antwoordde ze na een pauze waarin ze een slok cola had genomen. 'Dat heb ik al verteld. Ik was naar huis toen ze voetballen gingen kijken.' Ik keek op mijn horloge en zuchtte. Dit gesprek zou niets meer opleveren.

'Je kan gaan', besloot ik. 'We kunnen maatschappelijk werk voor je regelen als je dat wil.'

'Ik wil niet meer in de hulpverlening', antwoordde ze resoluut. Ze sloeg haar cola in een paar teugen achterover en stond op. 'Dat zijn ook allemaal klootzakken. Ik heb nog nooit iets aan die lui gehad.'

'Best', mompelde ik. 'Als je nog vragen hebt of je weet opeens waar Richie die bewuste nacht is geweest, dat kan gebeuren nietwaar, kan je ons gerust bellen.' Ze zweeg en met die typische tersluikse blik die ik ook van Richie kende verliet ze mijn kantoor.

'Het ziet er niet best uit', zei ik tegen mijn collega. Ik schoof onze aantekeningen bij elkaar om er een verslag van te maken. 'Een en al ellende. Ik denk niet dat we nog veel aan deze mensen hebben. We moeten het van Richie zelf hebben en van getuigen.'

'Dat meisje heeft hulp nodig', antwoordde mijn collega. 'En brengen we dat incestgeval naar buiten, of zwijgen we erover.'

'Voorlopig zwijgen we erover', antwoordde ik. 'Misschien hebben we dit gevalletje nog nodig.'

2

'Ik zeg je toch man', zei Richie een dag later tegen mij, 'ik was gewoon thuis. Ik heb niks met die hele zaak te maken. Maar ik ben gemakkelijk voor jullie. Er is rotzooi gebeurd in Emmeloord en ik ben de lul.' We zaten tegenover elkaar in de Haarlemse Koepel, waar we hem voorlopig hadden opgeborgen. De aanwijzingen waren te sterk en hij was vluchtgevaarlijk. 'Help mij eens een beetje', zei ik geïrriteerd. 'Als je zo blijft kan ik niks voor je doen. Dat weet je...'

's Ochtends had ik nog schreeuwend zijn vader aan de telefoon, want er was een artikel over de zaak in de krant verschenen. De familie van Richie werd als asociaal geportretteerd en hij dacht dat ik daar iets mee te maken had. Het ging natuurlijk om een verslaggever die op zoek was naar materiaal voor een sappig stuk. Over de incest had gelukkig niemand gelekt, want ik wilde dit als wapen achter de hand houden.

'Jullie moeten ons met rust laten', riep hij door de telefoon. 'Of ik zoek zelf de media op en doe eens een boekje over jullie open.' Het ontging mij waarover hij verder wilde bellen, maar ik was op mijn hoede en antwoordde dat we onze uiterste best deden om hem te sparen.

'Je kende dat meisje in Emmeloord', vervolgde ik. 'Er zijn sporen van je in haar huis gevonden. Het enige wat we van je willen weten is of je die bewuste avond naar Emmeloord bent gereden.'

'Ik was thuis', herhaalde hij terwijl hij zijn ogen weer zo leep wegdraaide, net als zijn zus. 'Mijn vader kan daarover getuigen.' Ik besloot het over een andere boeg te gooien.

'Weet je, Richie', zei ik losjes, 'je bent net zeventien, niet? Hoe lang heb je ook alweer in dat internaat gezeten en daarna nog een jaartje jeugddetentie voor die kleine diefstalletjes? Zo leuk lijkt mij dat niet. Je vader laat je barsten jongen. Van hem mag je hangen aan de hoogste boom. Wat denk je daarvan? Luister. Als je eerlijk vertelt wat er gebeurd is, blijf je hier wel een poosje zitten misschien, maar heb je recht op strafvermindering en krijg je hulp om nog iets van je leven te maken. Eigenlijk heb je ons alleen nog maar. Je zus laat je zitten, je ouders willen niets meer met je te maken hebben...' Ik zag dat mijn woorden effect hadden. Hij keek mij voor het eerst recht aan, waarbij zijn mond trilde en hij in huilen leek uit te barsten.

'Wat heeft mijn zus dan gezegd', fluisterde hij.

'Och', vervolgde ik. 'Ze heeft haar gezinnetje en kan er geen rotzooi bij gebruiken. Dat heeft ze gezegd.'

'Ze heeft een kind van mijn vader', zei Richie kortaf.

'We dwalen af jongen', antwoordde ik terwijl ik opstond. 'Denk goed na over wat ik gezegd heb. Als je open kaart speelt scheelt dat in de strafmaat. Dan kunnen we nog iets voor je doen. Je weet dat de bewijzen bijna rond zijn en je jaren vast kan blijven zitten. Misschien kan je hier zelfs nooit meer weg.' Ik wenkte de bewaking en verliet de verhoorkamer.

Die middag werd ik gebeld door het forensisch instituut met de mededeling dat er sporen van Richie op het lichaam van Marion waren gevonden. Het bewijs was onomstotelijk. De rechtszaak die over drie weken gepland stond zou nog slechts een formaliteit zijn, waarbij het erom ging de strafmaat te verzachten. Wat moest ik doen om Richie in een traject te laten komen waarin hij nog kansen had? Zoals het ervoor stond, zou hij aan de wolven worden uitgeleverd. Ik besloot de vader erbij te lappen om Richie zoveel mogelijk te sparen en liet zijn dochter weer oproepen om een verklaring op schrift te stellen. Daarna zou ik met de pers gaan praten.

De wolven zouden niet naar Richie toekomen, maar naar de vader.

'Wanneer is dat met je vader eigenlijk begonnen Herma', zei ik toen ze weer tegenover mij zat. Mijn collega zat naast mij met een laptop om aantekeningen te maken. Ze draaide ongemakkelijk op haar stoel. 'Laat u mij dan verder met rust?', antwoordde ze. 'Belooft u dat?'

'Ik kan je in deze zaak niets beloven', antwoordde ik terwijl ik mij over mijn bureau naar haar toeboog. 'Richie zit heel, heel erg in de knoei. Ik probeer hem te helpen.'

'Ik was veertien', antwoordde ze kortaf. 'Hij zei dat ik een slet was, waardoor hij er ook nog wel bij kon.'

'Zo, zo', mompelde ik. 'En hoe vond jij dat? Wist Richie ervan?'

'Richie heeft hem helemaal in elkaar geslagen toen hij erachter kwam. Daarna is het allemaal begonnen.'

'Is je vader vaak boos, Herma', vervolgde ik. 'Is hij aardig voor je moeder?' Ze zweeg en plukte verlegen aan haar trui. 'Weet je dat je vader vervolgd kan worden vanwege incest? Daarom moet je goed over je antwoorden nadenken.'

'Hij heeft losse handjes en er hoeft maar even iets te gebeuren of hij gaat door de stekker', antwoordde ze tenslotte.

'Net als Richie?', informeerde ik.

'Richie heeft dat meisje niet vermoord', zei ze plotseling weer fel. 'Zo is hij niet. Dat weet ik zeker.'

'Goed, goed', suste ik. 'We kijken wat we voor hem kunnen doen.' Ik kreeg een ingeving.

'Gaat je vader 's avonds laat nog weleens weg? Of is hij altijd thuis?'

'Vroeger was hij altijd de hort op', antwoordde ze. 'Nu weet ik het niet meer.'

'Weet je moeder dat het kind van haar man is', vervolgde ik scherp. Als dit niet het geval was, zou ze zich een beroerte schrikken en dat wilde ik haar besparen, hoewel ik haar niet helemaal vrijpleitte. Ik zou haar weer laten komen. Bovendien leek het mij raadzaam pleegzorg te informeren en het kind bij hen weg te halen, om later veel ellende te voorkomen. De situatie was zacht uitgedrukt bijzonder ongezond en wie weet wat nog boven tafel kwam. Ze schudde ontkennend haar hoofd. 'Ze heeft er nooit iets van geweten', antwoordde ze. 'Ik was als de dood voor hem. Nu houdt hij zich koest omdat ik een vriend heb.' Ik zuchtte en knikte naar mijn collega ten teken dat ik het gesprek wilde beëindigen.

'Ik zou graag willen dat je aan je moeder vraagt of ze hier morgen langs wil komen voor een laatste onderhoud', zei ik. 'Daarna beschouw ik het onderzoek voor wat ons betreft als afgerond. Justitie en maatschappelijk werk nemen het van ons over en Richie heeft een prima advocaat.'

'Gaat u het dan aan mijn moeder vertellen', vroeg ze angstig. 'Ik wil dat niet. Ze heeft het al zo zwaar. En mijn kind?'

'Je begrijpt het nog steeds niet', zei ik geïrriteerd. 'Dit kan niet onder tafel blijven als je Richie wil redden, snap je? Bovendien heb je hulp nodig. Dat moet ik je moeder aan het verstand peuteren. Je kunt gaan.'

3

'Richie, het ziet er niet best voor je uit, meekomen.' Omdat ik ondanks alles wat boven tafel was gekomen met hem begaan was, had ik het op mij genomen om Richie klaar te maken voor de eerste zitting en hem te begeleiden. Als een ziek vogeltje kwam hij vanuit een hoek van zijn cel overeind. Het was duidelijk dat hij al een paar keer te grazen was genomen. Als hij hier bleef, zou er binnen de kortste keren nog maar weinig van hem over zijn. Jongens zoals hij gaan er in de kast aan onderdoor, ze zijn te kwetsbaar zonder steun van wie dan ook.

Even later liep hij geboeid op zijn rug tussen twee bewakers in en volgde ik hen naar de politiebus. Achterin zou ik tegenover hem gaan zitten om hem kalm te houden. Ik maakte zijn boeien los nadat we waren ingestapt.

'Je hebt een goede advocaat', opende ik het gesprek. 'Maar hij zal je niet kunnen redden.' Opeens keek hij mij aan met dezelfde venijnige, felle oogjes als zijn vader. 'Ik heb het niet gedaan', zei hij met een overslaande stem. 'Ze kunnen mij niks maken.'

'Dan ben je naïef', vervolgde ik. 'Er zijn teveel bewijzen. Jouw DNA is op haar lichaam gevonden.'

'Nou en?', antwoordde hij. 'Ik ging met haar om. Ik heb iets met haar gedronken, maar ze ging alleen naar huis en toen ben ik ook weggegaan.'

'Deze versie heb ik nog niet eerder gehoord', antwoordde ik. 'Pas maar op. Je moet ervoor zorgen dat je consequent blijft in je verzinsels.' Ik kon er niets aan doen. Ik moest het zeggen, ondanks mijn voornemen hem in bescherming te nemen omdat hij niemand meer had. Ik bespeurde geen greintje berouw, spijt of introspectie bij Richie. En de bewijzen waren te sterk.

'Als ik hier uit kom trap ik je nog eens helemaal in elkaar', antwoordde Richie met een kille zelfbeheersing die ik niet eerder bij hem had gezien. Was hij al zó ver? Durfde hij mij te bedreigen op de valreep van een proces waarin hij levenslang kon krijgen, als er geen verzachtende omstandigheden werden aangevoerd?

'Ik vergeet dat je dit gezegd hebt Richie', antwoordde ik. 'En daar bof je mee.'

Toen Richie werd voorgeleid zag ik zijn ouders en zus op de publiekstribune. Ze hadden zo te zien voor de gelegenheid hun nette kleren aangetrokken. Vooral de vader van Richie zag er opvallend gesoigneerd uit, in een keurig grijs pak met een wit overhemd en een grote, brede stropdas. Het was duidelijk zijn dag.

Richie had natuurlijk van zijn advocaat te horen gekregen dat hij weinig tot niets moest zeggen. Toen dan ook het bewijsmateriaal werd aangevoerd, plus de informatie dat hij zich op die bewuste avond bij het huis van Marion had opgehouden, nam de advocaat het woord om zoveel mogelijk te weerleggen en verzachtende omstandigheden aan te voeren, op punten waar dit eenvoudigweg niet kon omdat de bewijzen te hard waren. Hij hield een lang pleidooi over de achtergrond van Richie, met als kern dat hij door de publiciteit rond de zaak geen eerlijke kans had gekregen. Ik zag dat de moeder van Richie zat te snotteren en een zakdoekje tevoorschijn haalde. Maar dit was niet vanwege Richie, wist ik. Het waren krokodillentranen om haar eigen hachje te redden.

Toen na een korte pauze de voorlopige eis werd voorgelezen en Richie levenslang achter slot en grendel dreigde terecht te komen als er niet snel tegenbewijs werd gevonden, zag ik dat de lippen van de vader zich krulden in een triomfantelijk lachje. Het was dit waardoor bij mij iets in mijn verkeerde keelgat schoot. Hij was blij dat zijn zoon werd opgeborgen en had er alles aan gedaan dit voor elkaar te krijgen.

Ik besloot een laatste poging te wagen Richie iets te laten vertellen wat in zijn voordeel zou pleiten, toen hij weer naar het busje werd begeleid om terug naar de Koepel te worden gebracht. Hij moest beseffen dat hij zijn kansen verspeelde als hij niet eerlijk opbiechtte wat hij wist. Ik seinde de bewaking en kroop weer achterin bij Richie.

'Laat me met rust', zei hij nukkig nadat ik zijn handboeien had afgedaan. 'Ik draai voor altijd de bak in, zo is het toch?'

'Het hoeft niet', antwoordde ik kalm. 'Als je eens wat meer zou vertellen. Ik weet het van je zus. Waar was je vader eigenlijk na het voetballen? Ging hij misschien ook ergens naartoe?' Heel even lichtten zijn ogen op, om daarna weer scheef weg te kijken.

'We hadden ruzie', antwoordde hij na een pauze waarin hij leek na te denken. 'Daarom ging ik weg na het voetballen. Anders zou hij me weer komen opzoeken en in elkaar slaan.'

'Zo, zo', mompelde ik. 'En toen?'

'Hij kwam me achterna met de auto om me te jennen. Daarna weet ik het niet meer.'

Ik besloot een gokje te wagen.

'Kende je vader Marion eigenlijk? Wist hij waar ze woonde? Is hij je misschien gevolgd en zat je bij haar binnen?'

'Ik zei je dat ik verder niks weet', antwoordde hij nors. 'Je zit mij uit te horen om mij erin te luizen.' Schichtig dook hij in elkaar.

'Ik wil je helpen Richie', zei ik zacht. 'Je staat er alleen voor.'

'Mij best', antwoordde hij. 'Ik red me wel.' Ik zweeg en besloot hem verder met rust te laten.

Zoals verwacht kreeg Richie een keiharde straf, die erop neerkwam dat hij levenslang in detentie zou blijven. Hij werd volledig toerekeningsvatbaar verklaard, dus verzachtende omstandigheden zaten er niet in. Daarbij speelde mee dat hij al een strafblad had, geen enkele medewerking verleende en op geen enkel punt berouw toonde. Men achtte hem een gevaar voor de samenleving, waarbij herhaling niet uitgesloten werd. Door de rechter werd hij neergezet als een ontspoorde jongen met een slecht ontwikkeld geweten, een oordeel waar de verhoren met de ouders en de aandacht in de media toe hadden bijgedragen.

Mij hadden ze intussen van de zaak gehaald. Door een klacht van de ouders had ik een berisping gekregen. Ik had mij te betrokken betoond, was niet meer onbevooroordeeld en de ritjes achterin de politiebus met Richie waren niet onopgemerkt gebleven. Ze hadden gelijk, vond ik. Je kunt je werk niet doen als je met een delinquent een persoonlijke band opbouwt. Tegelijkertijd wist ik dat in de Koepel niemand zich om Richie bekommerde. Hij zou het niet redden en vrijkomen als een wrak, als hij ooit vrijkwam. De weken waarin de zaak liep zag ik hem zienderogen achteruit gaan. Hij keek steeds leper en schichtiger uit zijn ogen, met korte, opflakkerende aanvallen van razernij. Het zou niet lang meer duren, of hij zou volledig zijn gedepersonaliseerd. Hij liep het gevaar om overal en altijd de lul te zijn, een proces dat door zijn voorgeschiedenis al gaande was.

De zaak liet mij dus niet los en ik besloot in het geheim mijn onderzoek voort te zetten. Daarvoor moest ik bij de vader zijn. Ik had namelijk sterke vermoedens dat hij meer met de zaak te maken had, dan tot noch toe boven tafel was gekomen. Daarom reed ik op een gure dag in februari in mijn vrije tijd naar hem toe om eens een kijkje te gaan nemen. Ik wilde iets van hem zien te ontfutselen om het voor DNA-sporen naar het lab te sturen. Ik kende de jongens daar goed. Ze zouden hun mond houden.

Ik belde de vader vanuit de auto met de vraag of het goed was dat ik langskwam om over Richie te praten. Hij reageerde verrast, maar niet onwelwillend. Ik had beet. Hij genoot van de ellende van zijn zoon. Het vooruitzicht dat hij die over mij kon uitstorten maakte hem vast blij. Als ik het spelletje goed speelde, zou ik weleens een grote vangst kunnen doen.

Even later belde ik aan bij het huis van de ouders van Richie, een rijtjeshuis met een boven- en benedenverdieping in een nieuwbouwwijk uit de jaren '70, toen ze nog in woonhofjes geloofden. Richie woonde hier tot voor kort in een speciaal voor hem verbouwd tuinhuis, omdat hij binnen niet meer te handhaven was, zoals ze zeiden. Ik had daar mijn bedenkingen bij.

Een paar minuten later stond de vader in de deuropening. 'Kom verder', riep hij net zo amicaal als tijdens ons eerste gesprek. 'Mijn vrouw ligt op bed, want ze is er nog steeds niet goed van. Ik heb nergens last meer van nu Richie vastzit. Het is zijn verdiende loon.'

Ik volgde hem naar de woonkamer en we namen plaats aan de eettafel. 'Ik begrijp dat u begaan bent met Richie, vervolgde hij. We hebben er een klacht over ingediend, maar zand erover. Het valt niet aan uw verstand te peuteren dat hij niet wil deugen. Vroeger niet, en nu niet.' Hij verhief zijn stem. 'Richie heeft een moord begaan meneer. Begrijpt u dat? En wie zou de volgende zijn? Voor ons heeft hij afgedaan. Hij is ons kind niet meer.'

'Richie is er beroerd aan toe', zei ik na een poosje zwijgend tegenover hem te hebben gezeten. 'Hij is met zijn advocaat in hoger beroep, en de procedure loopt. Kunnen we niet één lichtpuntje vinden? Hij gaat kapot als hij levenslang de bak indraait. Er zitten daar geen lieverdjes. De jongen is net achttien geworden.'

De vader keek langs mij heen alsof hij werkelijk nadacht en zich geraakt voelde. 'Zo is het misschien het beste', zei hij tenslotte. 'Hij heeft iets waardoor hij niet wil deugen. Aan ons heeft het niet gelegen.'

'Waar is de kleine eigenlijk?', veranderde ik plotseling van onderwerp. 'Is ze op school? Het is toch uw kind, nietwaar?'

'Ze is bij de moeder', zei hij kortaf. 'Het is het kind van mijn dochter.'

'En van u heb ik begrepen', antwoordde ik. Ik zag dat hij schrok. 'Waar was u eigenlijk op die bewuste avond', zei ik losjes om hem niet op tilt te laten slaan. Het moest lijken alsof ik belangeloos informeerde. 'Mag ik overigens iets drinken? Mijn mond is kurkdroog.'

Hij stond op en zwijgend slofte hij naar de keuken, om na wat gestommel terug te keren met twee geopende flesjes bier en twee glazen. Mooi, dacht ik. Straks kan ik de flesjes ongemerkt verwisselen. Het zijne is voor het lab. Ik maakte een wuivend gebaar met mijn hand toen hij op het punt stond mijn glas te vullen. 'Bier drink ik het liefst uit het flesje', zei ik in de hoop dat hij mijn voorbeeld zou volgen. Ik wilde dat zijn speeksel op het flesje kwam.

'Ik eigenlijk ook', zei hij tot mijn vreugde. Hij pakte zijn flesje en nam een slok.

'Mannen onder elkaar, nietwaar', antwoordde ik. We klonken, voordat ook ik het flesje aan mijn mond zette. 'Vertel eens', zei ik met een blik van saamhorigheid. 'Waar ging u die avond na het voetballen naartoe? Ik val u hierna echt niet meer lastig. Ik ben hier niet in functie. Van Richie hoorde ik dat jullie ruzie hadden over geld en dat u hem bent gevolgd.'

Hij kneep zijn ogen achterdochtig samen. 'Richie lult maar wat', antwoordde hij. 'En mijn dochter ook.'

‘Dus u was gewoon thuis die nacht?’, antwoordde ik. ‘In uw bedje naast uw vrouw.’ De ironie ontging hem niet.

‘Nu moet je eens goed luisteren vriend’, antwoordde de man weer in plotselinge drift. ‘Eigenlijk heb je hier niets te zoeken. We zijn er beroerd van en ik wil niks meer met die hele zaak te maken hebben. Mijn zoon bestaat niet meer voor mij.’

Ik stond op en informeerde kalm waar het toilet was. Met de lepe, venijnige oogjes die Richie van hem had geërfd knikte hij. Met het bierflesje in zijn hand maakte hij daarna een gebaar naar achteren. ‘Trap op in de badkamer’, mompelde hij. Kan niet beter, dacht ik. Misschien tref ik daar iets wat ik voor onderzoek mee kan nemen.

Op het toilet had ik geluk, want het bevond zich in een douche waarin ik een rek zag met scheerspullen die niet van Richie konden zijn. In de Koepel had ik gezien dat hij een scheerapparaat gebruikte, en geen scheerkwast met een mesje, zaken die hij bovendien niet mee had mogen nemen. Ik haalde een plastic zak uit mijn broekzak en stopte er de scheerkwast in.

‘Weet u’, zei ik peinzend toen ik weer in de woonkamer stond. ‘Ik vind het vreselijk dat u Richie zo in de steek laat. Daarom ben ik gekomen. Hij heeft het verschrikkelijk waar hij zit en het wordt nog erger. Jongens zoals hij redden het niet in de gevangenis. Hij is heetgebakerd, jong en hij staat er alleen voor. Zulke knapen worden gepakt. Als hij er ooit uit komt is er niet veel van hem over.’

‘Mooi, mooi...’, antwoordde de man ongeduldig. ‘En wij? Weet u hoe wij ervoor staan? We worden overal met de nek aangekeken. Ik kan mij hier bijna niet meer vertonen. Zeker niet na die artikelen in de krant.’

‘Dat wordt nog erger als de incest naar buiten komt’, riep ik plotseling kwaad. Ik kon het moeilijk verkroppen dat die man zijn zoon zo in de steek liet.

'Bullshit', riep hij. 'Mijn dochter heeft een foute wip gemaakt en daar hebben wij voor moeten opdraaien. Iedereen kon haar grijpen voordat ze haar vriend tegenkwam.'

'U loopt niet bepaald over van vaderliefde', mompelde ik. Op dat moment kwam de moeder tevoorschijn. Ze droeg een roze, gekreukte katoenen nachtjapon met kleine, rode bloemetjes. Ze keek lodderig uit haar ogen, alsof ze teveel had gedronken. Waarschijnlijk stond ze strak van de kalmerende middelen.

'Wat doet u hier', zei ze met een lage stem, waarin een waarschuwing doorklonk. 'U hoort hier helemaal niet te zijn. We hebben genoeg ellende gehad. Is er iets met Richie?'

'Nee mevrouw', antwoordde ik. 'Richie wacht in de Koepel het definitieve vonnis af. Ik kwam een praatje maken, maar stond op het punt weg te gaan.'

'Ja, je moet maar weer eens opdonderen met je praatjes', riep de man. 'U ziet hoe mijn vrouw eraan toe is. Wij willen met rust worden gelaten. Als u dat maar goed in uw oortjes knoopt.'

'Best', mompelde ik terwijl ik naar de vrouw knikte. 'Ik laat mijzelf wel uit.'

4

Twee weken later kon ik een doorbraak melden. Van het lab kwam er op een doodgewone woensdagochtend bericht dat er DNA-sporen van zowel de vader als de zoon overeenkwamen met sporen die in het huis van Marion waren gevonden. Er waren dus twee mogelijke daders en ik had de juiste neus gehad.

Nadat de ontdekking intern bekend was gemaakt, werd ik ontboden bij de hoogste baas om de strategie door te nemen. Ik kreeg het voor elkaar dat de vader als medeverdachte werd aangehouden. Er kwam een persbijeenkomst, waarbij ik naast de hoogste baas zat en vragen mocht beantwoorden. Toen maakte ik het incestgeval wereldkundig, en opnieuw scoorde ik omdat ik het voor dit moment achter de hand had gehouden.

Die avond nog opende het achtuurjournaal ermee en was de vader vastgezet. Intussen liep het hoger beroep van Richie. Zijn advocaat maakte gretig gebruik van de nieuwe feiten die boven tafel waren gekomen. Hij vroeg zich daarbij af of Richie zichzelf misschien had geslachtofferd om zijn vader te sparen.

'Dergelijke verstrengelingen zie je vaker', zei ik toen ik hem ergens in de wandelgangen tegenkwam. 'Vanaf het begin spoorde er iets niet met die man. Hij was te gretig met het geven van informatie om zijn zoon de bak in te laten draaien.'

Ik mocht weer meedoen en bezocht Richie om hem te vertellen dat hij waarschijnlijk in hoger beroep strafvermindering zou krijgen. Ik wilde mij inspannen om hem onder begeleiding vrij te krijgen, met een leer en werktraject, na heropvoedtraining en psychologische begeleiding. De jongen was vermoedelijk jaren geestelijk mishandeld, net als zijn zus. Want ik was er intussen van overtuigd dat we de vader moesten hebben. Het was mij daarbij nog niet duidelijk welke rol zijn moeder had gespeeld. Echtgenotes van dit soort mannen werden in ieder geval medeplichtig, vaak onbewust, om hun eigen slachtofferschap te verdringen.

'There's something rotten in the state of Denmark', mompelde ik toen ik de cel van Richie binnenstapte. Van zijn advocaat had ik gehoord dat het niet al te best met hem ging. Hij at nauwelijks en kwam zijn cel niet uit, zelfs niet voor het toegestane halfuurtje luchten op de binnenplaats. In de recreatieruimte was hij gemolesteerd door twee uit de kluiten gewassen long stay delinquenten en het zou mij niet verbazen als ze al geprobeerd hadden hem te verkrachten. Hij zat in elkaar gedoken in een hoek van zijn cel.

'Ik kom met goed nieuws Richie', zei ik opgewekt om hem op te beuren. 'Er zijn aanwijzingen gevonden dat niet jij, maar je vader Marion om zeep heeft geholpen. Als je rustig blijft en we wachten onze tijd af, ben je straks vrij. Of je krijgt strafvermindering.'

'Wat heb ik eraan', antwoordde hij met een lage, trillende stem. 'Mijn leven is toch niks meer waard.'

'Daar wil ik het juist met je over hebben', antwoordde ik. 'Ik wil je onder begeleiding zien te krijgen om een vak te leren. Wat denk je daarvan?'

'Niks', antwoordde hij. 'We zullen zien.'

Wat er daarna gebeurde ging razendsnel. In één snelle beweging stond hij op. Hij hield de vlijmscherpe punten van een lange, roestvrij stalen schaar op mij gericht, klaar om toe te steken. Zijn ogen schitterden fel. 'Als je dichterbij komt ben je er geweest', riep hij terwijl hij een fluim speeksel op de grond spuwde. 'Jullie zijn allemaal hetzelfde. Met mooie praatjes aankomen om mij erin te luizen.'

Ik had geen tijd om na te denken over hoe hij aan de schaar was gekomen, en drukte meteen op de alarmknop. Binnen een paar seconden stonden er vijf man in de cel die Richie de schaar afhandig maakten en hem gekneveld afvoerden naar de isoleer.

Nadat ik een half uur later in de personeelskantine van de schrik was bekomen, drong tot mij door dat het spel tussen Richie en mij was uitgespeeld. Ik kon wel huilen. Was ik zó naïef geweest te denken dat ik hem kon redden? Had de vader dan toch gelijk?

Ik handelde de formaliteiten af en liep terug naar mijn auto. Wie zou hem een schaar hebben bezorgd? Die persoon had Richie moeten aanklagen, want nu waren al zijn kansen verspeeld. Ik maakte een notitie en besloot niet op te geven. Op de een of andere manier was Richie een jongen die niet begreep dat hij zich gemakkelijk liet manipuleren, om steeds opnieuw in de val te lopen.

Toen ik een dag later op het bureau kwam vond ik een notitie van de hoogste baas. Ik moest weer op het matje komen, hij was waarschijnlijk al op de hoogte van het akkefietje met de schaar en zou mij weer terugfluiten.

'We hebben een doorbraak bereikt', zei hij tot mijn verrassing toen ik tegenover hem zat. 'De pa van Richie is doorgeslagen. Hij heeft bekend, nadat we hem de foto van een volledig toegetakelde Richie hebben laten zien. Kennelijk heeft hij toch een hart.' Ik keek hem stomverbaasd aan.

'Een toegetakelde Richie?', informeerde ik. 'Hoezo?'

'Nadat hij jou met die schaar had bedreigd is hij in de isoleer gegooid', antwoordde de chef terwijl hij voldaan achterover leunde. 'Hij is daar als een wildeman tekeer gegaan en heeft zichzelf met scheermesjes toegetakeld.' Hij gebaarde dat ik naast hem moest komen staan. Op zijn computerscherm verscheen een Richie die ik nauwelijks herkende. Zijn gezicht met gesloten ogen was blauw gezwollen en er zaten korsten bloed bij zijn mondhoeken en slaap. Zijn blonde peenhaar kleefde plakkerig op zijn hoofd.

'Leeft hij nog?', mompelde ik terwijl ik mijn ogen van het scherm afkeerde. De chef schudde zijn hoofd. 'Hoe kwam hij eerst aan die schaar, en toen aan scheermesjes?', zei ik met een kurkdroge mond.

'Zulke knapen komen via allerlei wegen aan spullen', antwoordde hij. 'Het is bijna niet te voorkomen. De beveiliging wordt uiteraard nog verhoord.' Ik wist wat dit betekende. Niemand zou worden verhoord. Een of andere gek had een geintje uitgehaald en hem uit willen lokken. De maatschappij rouwde niet om een Richie meer of minder. De zaak was opgelost omdat de vader had bekend, en Richie ging ergens in een dossier.

Kort daarna legde ik mijn functie neer en ging ik met pensioen. Van mijn collega hoorde ik nog dat de vader op die bewuste avond Richie volgde naar Marion, waarmee hij had afgesproken in een kroegje vlakbij haar huis. Hij bracht haar naar huis en bij haar voordeur stapte de vader op hen af, omdat hij nog een appeltje met Richie had te schillen over geld. Er ontstond een woordenwisseling en Richie vluchtte naar binnen bij Marion. De zaak zou daarmee gesust zijn als de vader niet wachtte totdat Richie weer naar buiten stapte. Toen Richie er vandoor was gegaan verschafte hij zich toegang tot haar huis met een smoes, er ontstond ruzie over Richie en misschien maakte hij avances omdat hij vrouwen niet zo hoog heeft zitten. In de worsteling die ontstond wurgde hij haar met zijn broekriem. Daarna zorgde hij ervoor dat de sporen werden gewist, maakte hij nog een ommetje en bezocht hij een kroeg, om bij thuiskomst zijn vrouw te vertellen dat hij

Richie bij Marion had gezien en van plan was om hem daar de volgende dag op aan te spreken.

Tijdens de zitting betoonde hij geen spoor van berouw, ook niet toen zijn dochter tegen hem getuigde van jarenlang misbruik. Zijn vrouw werd afgevoerd naar een gesticht, omdat ze brak door het jarenlange zwijgen.

Tijdens de afscheidsreceptie hield ik een toespraak over het vak. Ik sprak nog even kort over Richie, als voorbeeld van onze beperkte invloed bij veel zaken die ik voorbij had zien komen. Na afloop zei mijn chef dat mijn afscheid op het goede moment kwam, omdat ik sentimenteel was geworden.

Alles goed met Jolien

1

'We moeten Jolien weer eens uitnodigen', zei Wim in de keuken tegen Stance. 'Ze komt hier nooit meer. Gaat het wel goed met haar?'

'Ik weet het niet', antwoordde Stance terwijl ze in de groentesoep roerde die ze voor het weekend uit gemak had gemaakt, want dan hoefde ze niet uren in de keuken te staan. 'Ze kan tegenwoordig zo zeuren.'

'Nou ja', vervolgde Wim. 'Ze zit ook maar in haar eentje.' Hij gaf Stance een zoen in haar nek en liep naar de woonkamer om de tafel te dekken.

Mees en Willemijn, hun zoon en dochter van twaalf en acht, waren boven op hun kamer. Het beloofde sinds lang een rustig weekend met hun vieren te worden, iets wat hij bijna ontwend was. Of hij moest nog voor zijn werk op pad, of er was bezoek. Maar nu hadden ze eindelijk het rijk voor henzelf. Zijn ouders waren voor een lang verblijf naar familie in Californië en de ouders van Stance hadden een volkstuin buiten de stad, waar ze de hele zomer op kampeerden.

'Gaat ze eigenlijk nog op vakantie?', riep hij in de richting van de keuken. 'Wie?' informeerde Stance. Met een pan hete soep stapte ze de woonkamer binnen. 'Jolien natuurlijk', antwoordde Wim. 'Dat vertel ik nog wel', antwoordde Stance. 'Roep de kinderen, dan kunnen we eten.'

'Ze heeft deze winter iemand ontmoet', zei Stance even later peinzend. Ze pakte een stuk brood . 'Dat is een hele toestand geworden. Hij is een Ghanees.'

'Vandaar', antwoordde Wim. 'Als je geen zin hebt haar uit te nodigen hoeft het natuurlijk niet. Ze is jouw vriendin.'

Zwijgend zaten ze tegenover elkaar naast de kinderen, die druk praatten over een nieuw computerspel waarin ze elkaar probeerden af te troeven. Afwisselend stuurden Wim en Stance het gesprek, terwijl ze gezamenlijk soep lepelden.

Na de maaltijd verzamelde Stance de borden. Ze liep naar de keuken en plaatste ze samen met het bestek in de afwasmachine. Peinzend opende ze daarna de keukendeur en stapte ze op het grote balkon waar Wim en zij met weelderige potplanten en kruiden in potten een terrastuin van hadden gemaakt. In een hoek stond een barbecue waar ze veel gebruik van maakten op lange zomerdagen, zeker nu ze niet met elkaar op vakantie gingen. Want ze was net met een nieuwe baan begonnen, ze kon nog geen vakantiedagen opnemen. De kinderen gingen naar een zomerkamp en Wim vertrok dit najaar naar zijn ouders in Amerika, om drie weken later samen met hen terug te keren. Zo hadden ze het dit jaar met elkaar geregeld en ze had er vrede mee. Wim beloofde haar het volgende voorjaar een reis naar Curaçao vanwege hun twaalfeneenhalfjarig huwelijk.

Ze ging op een stoel zitten en stak een sigaret op. Het raakte haar dat Wim over Jolien was begonnen. Haar nieuwe werk op een directiesecretariaat van een keten uitzendbureaus had haar volledig in beslag genomen. En dan waren er de kinderen en de ouders van Wim, waar ze voor bijna een half jaar afscheid van moesten nemen. Ze had Jolien verwaarloosd, vroeger zagen ze elkaar minstens één keer per maand en praatten ze bij. Soms bespeurde ze bij zichzelf jaloezie, vermengd met bewondering als ze aan Jolien dacht. Gevoelens die haar in verlegenheid brachten en die ze verdrong door aardig en belangstellend te zijn. Jolien leefde immers alleen, ze kon gaan en staan waar ze wilde. Bij Artsen zonder Grenzen ontmoette ze voortdurend interessante mensen. Regelmatig was ze op reis naar verre oorden, waar Stance met haar kantoorbaan alleen maar van kon dromen. Ze kenden elkaar van de universiteit, allebei studeerden ze Antropologie. Uren debatteerden ze op hun studentenkamers over hoe ze de wereld zouden helpen veranderen. Bevlogen waren ze. Jolien was afgestudeerd en reisde ook toen al veel, zijzelf was met haar studie gestopt toen ze Wim leerde kennen en zwanger raakte.

Wim, die op de hotelschool zat, kwam uit een volledig andere wereld dan waar Jolien en zijzelf in verkeerden. Toen zij en Wim trouwden raakte Jolien voor haar uit beeld. Pas een paar jaar later botsten ze in de stad pardoes tegen elkaar op en hadden ze de banden weer aangehaald. Mees en Willemijn waren intussen geboren en bij Jolien leek haar jeugdige idealisme plaats gemaakt te hebben voor pragmatisme door haar ervaringen bij Artsen zonder Grenzen.

Wim was bedrijfsleider van een restaurantketen en afgezien van verveling die soms bij haar de kop opstak, een knagend gevoel, wat als plotselinge windvlagen kon opkomen als ze zich afvroeg of dit het leven was wat ze zichzelf vroeger had gedroomd, genoot ze zeker van de geborgenheid in haar huwelijk en van het comfort dat Wim haar kon bieden. Ze was tot de slotsom gekomen dat haar studietijd, met de idealen die daarbij hoorden, een levensfase was geweest die gewoonweg voorbij ging als je verantwoordelijkheden in het leven aanvaardde. Een visie die van tijd tot tijd tot heftige debatten met Jolien had geleid en waar ze allebei niet altijd ongeschonden uit tevoorschijn kwamen. Want hoewel de tijd beslist ook niet ongemerkt aan Jolien voorbij was gegaan, kon ze nog steeds bevlogen praten over haar bijdrage aan het verbeteren van de wereld, waaraan ze zelfs een leven met een partner en kinderen voor leek op te offeren. Van tijd tot tijd informeerde Stance naar haar plannen als het ging om een partner, want ze was een aantrekkelijke verschijning met een innemende, open lach. Maar ze reageerde altijd lacherig en afwijzend. 'Ik heb teveel te doen in het leven', zei ze dan.

Met Jolien leek het altijd goed te gaan, dacht Stance. Ze doofde haar sigaret in een plantenbak en ze stond op om uit de keuken een kop koffie te halen. Toch was er iets met Jolien waarin ze haar ontglipte. Iets droevigs melancholieks wat haar kon omhullen en waarachter je iets vermoedde wat haar leek voort te jagen, zonder al te lang stil te willen staan bij diepere zaken in haar gevoelsleven. En nu was er de Ghanees. Als hij er nog was.

Nadat Stance voor zichzelf een espresso had gemaakt stapte ze weer op het terras. Wim amuseerde zich wel met de kinderen en het nieuwe computerspel. Ze wist dat hij genoot van hun vrije weekend zonder bezoek. In het weekend waren ze zelden samen als gezin. Als Wim niet nog even op pad moest vanwege een of andere klus die verband hield met zijn werk, hadden ze bezoek.

Gelukzalig nipte Stance aan haar koffie. Ze stak nog een sigaret op. Hoewel de zon zich vandaag nauwelijks had laten zien was het niet koud. Het begon te schemeren en de lichten van de stad beneden haar floepten aan. Op deze momenten was het uitzicht over de stad vanaf het balkon magnifiek. Overal om haar heen schitterde het door de stadsverlichting en door koplampen van de onafgebroken stroom auto's op de snelweg vlakbij de flat. Het gaf haar een intens besef van deel uitmaken van de wereld, en tezelfdertijd teruggetrokken op een eiland te verkeren, waardoor ze kon opgaan in een ultiem gevoel van anonimiteit.

Goed, Jolien had zich overgegeven aan een liefde voor een Ghanees, vervolgde Stance haar gedachten. Natuurlijk weer hartstochtelijk, bevlogen en begaan. Duidde dit er niet toch op dat ze eenzaam was en wel degelijk zocht naar een partner, hoewel ze alle gedachten daaraan wegwuifde als Stance erover begon?

Een half jaar geleden alweer belde ze om te vertellen dat ze de Ghanees, zoals Stance hem in gedachten bleef noemen, over had laten komen en dat hij bij haar was ingetrokken. Waarom moest ze mij daarover bellen, had ze gedacht nadat ze bijna drie kwartier later de hoorn op het toestel legde. Alsof ze haar instemming vroeg. 'Natuurlijk komen we een keer langs om hem te leren kennen', hoorde ze zichzelf beloven. 'Dat spreekt vanzelf.' Gelukkig slikte ze nog net in dat zij ook met hem bij haar en Wim langs moesten komen. Wim zou dat beslist niet op prijs stellen wist ze. Hij keek meestal toch al zo bedenkelijk als ze het had over de avonturen van Jolien. 'Nee, het gaat super', zei Jolien monter tijdens dat telefoongesprek. 'Ik voel me kiplekker. Hij is een schat van een man. Wist je dat hij alles in huis voor mij doet? Koken, stofzuigen, de was... Zonder erom te hoeven vragen. Hij draagt me op handen, niet dat ik dat nodig heb... maar toch!'

Het verbaasde Stance dat Jolien honderd tachtig graden was gedraaid in haar levensvisie, want ze kende haar als een vrouw die zichzelf gelukkig prees omdat ze haar zelfstandigheid had behouden. Misschien reageerde ze daardoor koel en afstandelijk op Jolien. Ze moest het allemaal nog zien en haar voorspelling was uitgekomen.

Een paar weken geleden had ze huilend opgebeld en advies gevraagd. Hij was er plotseling met vrienden vandoor en had haar laten zitten. Op dat moment was ze te moe om er dieper op in te gaan. Ze spraken af elkaar de volgende dag te ontmoeten in een lunchroom in de stad.

Ze schrok toen ze haar bleek en met piekerig haar in een oude, versleten jas aan een tafeltje zag zitten. 'Wat is er met je gebeurd?', was dan ook haar eerste uitroep toen ze tegenover haar ging zitten. 'Je ziet er vreselijk uit.' Ze zag dat ze wallen onder haar ogen had.

Ze bestelde cappuccino voor haar en Jolien. 'Ik heb hem verkeerd ingeschat', zei ze nadat de koffie was gebracht. Ze roerde bedachtzaam in het schuim. 'Eerst was het een idylle. Je hebt hem nog nooit ontmoet, is het niet?' Stance schudde haar hoofd.

Verbeeld je, dacht ze toen ze terugdacht aan die ontmoeting met Jolien, dat we het prille stel met de kinderen erbij hadden uitgenodigd. De ellende zou niet te overzien zijn geweest als ze later moest uitleggen hoe het allemaal zat met Jolien. Ze moest er niet aan denken en sloot haar ogen terwijl ze diep inhaleerde.

'Een werkelijk hele lieve, knappe man', vervolgde Jolien. 'Attent, beleefd, voorkomend.' 'Je ontmoette hem in Ghana niet?', zei ze om haar uitweiding over zijn kwaliteiten te bekorten. 'Woonde hij bij zijn familie?' Ze knikte. 'In een kleine compound, ik was daar op werkbezoek. Hij was onze gids. Jong nog natuurlijk, we schelen bijna vijftien jaar. Hij begon mij pas op te vallen toen hij tijdens een lange tocht door de Bush niet van mijn zijde week. Daarna is de liefde gegroeid.

Toen we weg moesten met de groep omdat de klus klaar was en we het werk hadden overgedragen aan de kleine kliniek daar, gaf het dorp een afscheidsfeest... Hij is mij achterna gereisd en bij onze groep gebleven. Ik heb hem geholpen met zijn papieren en hier een voorlopige verblijfsvergunning voor hem geregeld.

'Mag ik vragen waar jij in beeld komt?', had ze geïnformeerd. 'Ik bedoel dat ik alleen maar hoor wat hij wilde, was je verliefd? Wilde jij ook dat hij overkwam?'

'Natuurlijk, natuurlijk', antwoordde Jolien. Maar Stance hoorde de aarzeling in haar stem. 'Ik was dolverliefd, en met een beetje goede wil van twee kanten zag ik toekomst voor ons. Hij zag dat ook!' Stance zuchtte. 'En nu?'

'Alles is weg', mompelde Jolien. 'Foetsie. Op een dag kwam ik terug van mijn werk en mijn huis was leeg op een paar spullen na, die waarschijnlijk te zwaar waren om te sjouwen. Anders had hij ze ook meegenomen.'

'Weet je waar naartoe?', had Stance meer uit beleefdheid gevraagd, dan dat ze nog zin had om de rest van het verhaal aan te horen. 'Hoe moet ik dat weten', zei Jolien plotseling nijdig. Ze wilde steun, instemming, een troostend woord. Maar Jolien was Stance zwaar tegengevallen. Ze kon zich met moeite inleven in een affaire met een Ghanees waarvan de uitkomst op mijlen afstand voorspelbaar was. Ze keek op haar horloge en sloeg haar koffie in één teug achterover. 'Kom', suste ze terwijl ze haar jas dichtknoopte. 'De kinderen komen zo uit school en ik moet nog een hoop doen. Ik bel je nog.'

Hoe zou het nu met haar zijn, overwoog Stance. Vanaf het balkon hoorde ze dat de kinderen aan het stoeien waren met Wim. Natuurlijk had ze haar niet meer gebeld na hun ontmoeting in de lunchroom. Maar Jolien had haar verhaal kunnen doen, misschien was dat voldoende geweest.

Ze stond op en liep naar binnen omdat het koud begon te worden. In de woonkamer trof ze de kinderen voor de televisie. Ze zaten gierend van de lach op de bank naast Wim. Een kort moment aarzelde ze omdat ze allang in bed hadden moeten liggen, maar ze besloot de pret niet te bederven en ging naast hen zitten.

Het kwam zo zelden voor dat Wim een hele avond thuis was. Vreemd eigenlijk, dacht ze terwijl ze glimlachend genoot van de kinderen. Als Wim laat thuiskwam informeerde ze nooit meer precies waar hij was geweest of wat hij zo laat nog moest doen. Ze was het gewoon gaan vinden dat hij er doordeweeks bijna nooit 's avonds was. Meteen daarna voelde ze zich schuldig over deze gedachte. Het was toch ook zo dat hij haar vrijliet...

Terwijl ze naast hem plofte op de bank gaf ze hem gedachteloos een aai over zijn bol. Hij keek met een vrolijke twinkeling in zijn ogen opzij. Kennelijk genoot hij van dit samenzijn. 'Morgen bel ik Jolien', zei ze zachtjes in zijn oor. 'Lief dat je aan haar dacht.'

'Ze zag er gewoon erg goed uit', zei Wim nadat Jolien was vertrokken. 'Ze is er weer helemaal bovenop.' 'Schijn', antwoordde Stance. 'Als ik mij opmaak en mooi aankleed voor een etentje... het is een afschuwelijke geschiedenis met die Ghanees.' Ze schopte haar huisslippers onder het bed. Even later glipte ze in haar nachthemd en schoof ze het dekbed opzij om naast Wim te kruipen, die wellustig met zijn tenen wiebelde.

Jolien was een pittige tante. Helemaal niet zo'n zielig geval als Stance hem had laten geloven. Goed, ze had een avontuur achter de rug... maar dat ze eraan onderdoor was gegaan, nee. Peinzend keek hij vanuit zijn ooghoeken naar Stance. Hij voelde een plezierige kriebel omhoog komen die beslist niet werd veroorzaakt door Stance. Wat waren ze een ingedut stel geworden, overwoog hij. Hun dagelijks leven werd bijna volledig in beslag genomen door hun werk en de zorg voor de kinderen. Avondjes als deze met geanimeerde, prikkelende gesprekken hadden ze nog maar zelden. Jolien was een ontwikkelde vrouw, dat kwam er natuurlijk bij... ze had het nog ergens over. Ze las kranten, hield het nieuws bij, ze had een interessante baan waarvoor ze hele continenten afreisde...

'Op zich houdt ze zich heel goed', vervolgde Stance. 'Ze heeft alles weer op orde. Natuurlijk helpt het dat ze niet veel tijd heeft om bij de pakken neer te zitten.' Stance voelde zich op een vreemde manier door Wim in het nauw gedreven. 'Ik vond het leuk dat ze meteen kon komen toen ik haar belde. Maar ja, ze zit natuurlijk veel alleen...'

'Tja, gemakkelijk is dat natuurlijk ook weer niet', antwoordde Wim. Hij ging rechtop zitten en boog zich naar Stance. 'Al heeft het zo zijn voordelen.'

'Hoe bedoel je?', informeerde Stance kribbig. 'Nou', vervolgde Wim. 'Wij zijn bijvoorbeeld nooit meer alleen, heb jij dat nooit? Zin om een keer het huis helemaal voor jezelf te hebben? De krant voor jou alleen, je lievelingsfilm op televisie, een vriend of vriendin voor jou alleen, zomaar weggaan, of op bezoek bij vrienden, of op reis zonder van alles te moeten regelen? Het heeft zijn voordelen. Wij zitten voor alles in een overlegsituatie. Zelfs voor seks. Als het er nog van komt.'

Met een ruk ging ook Stance overeind zitten. 'Je bedoelt toch niet dat je ernaar verlangt om weer alleen te zijn? Heb je genoeg van mij?'

'Dat bedoel ik toch niet', suste Wim. 'Het is een gedachte-experiment. Denk jij nooit over die dingen na?'

'Daar heb ik het te druk voor', mompelde Stance gerustgesteld. Ze ging weer liggen en staarde op haar rug naar het plafond. Jolien had iets in Wim wakker gemaakt, peinsde ze. Was dit een van de redenen waarom ze haar nog zo zelden uitnodigde met Wim erbij? Het leek alsof ze hem uitdaagde. Maar ze had Jolien nota bene op zijn initiatief gebeld. Jolien reageerde enthousiast op haar spontane uitnodiging en zelfs de kinderen waren opgetogen dat ze kwam, want ze verveelden zich. De vakantie was bijna voorbij en ze hadden weer behoefte aan prikkels, uitdagingen en structuur. Jolien leek op een lerares van school.

Ze was naar binnen gestruikeld op pumps met veel te hoge hakken. Daarboven droeg ze een ultra kort, zwart rokje. Haar borsten accentueerde ze met een strak, lila truitje. Alsof ze nog naar een of andere bar moet, had Stance meteen gedacht met een vlijmend gevoel van afkeuring. Want zijzelf was uit de keuken komen lopen in haar alledaagse oude spijkerbroek, met daaronder haar huisslippers. Onder haar schort droeg ze een ruimvallende, katoenen trui.

Toen aan tafel de wijn werd ontkurkt was Jolien losgekomen, om daarna bijna onafgebroken aan het woord te zijn. Over hoe ze de Ghanees had opgespoord en ze haar spullen terug had gekregen, over hoe ze toch nog in vrede afscheid van elkaar hadden genomen omdat hij een nieuwe, jongere vriendin had die zwanger van hem was, en over haar aanstaande nieuwe reis naar Vietnam.

Ze bewonderde Jolien om de kracht waarmee ze haar leven weer op de rails had, tegelijkertijd bekroop haar het gevoel dat ze iets te verbergen had. Bij het dessert, toen de kinderen naar boven gingen, was ze dieper op een en ander ingegaan, maar het gesprek was druk en oppervlakkig gebleven.

'Zou ze weer een nieuwe man aan de haak hebben geslagen?', zei ze plotseling. 'Waarom denk je dat?', antwoordde Wim. 'Dan zou ze dat toch hebben verteld?'

'Ik vond haar zo wild, hectisch... alsof ze weer verliefd is. Ze praat ineens ook zo gemakkelijk over de affaire met die Ghanees. Heel anders dan deze zomer, toen ik haar kort even sprak.'

Wim legde zijn hand op haar buik. 'Zo was Jolien toch nooit?', mompelde hij. 'Van de ene man naar de andere?' Strelend gleed zijn hand naar beneden. Ze sloot haar ogen en spreidde haar benen. 'Nee', murmelde ze terwijl ze zijn hand lager duwde. 'Maar ze deed er ook nooit heel moeilijk over. Toen ze nog studeerde lag ze zelden alleen in bed. Ik werd bijna om de twee weken aan een nieuwe vriend voorgesteld.'

Wim beet in haar oor. Hij kroop boven Stance en pakte haar vast bij haar polsen, terwijl hij zich naar haar toe boog. 'Ze is dus een gemakkelijke tante', fluisterde hij in haar oor. 'Heel gemakkelijk', kreunde Stance. Op dat moment nam Wim haar op een manier die ze nooit eerder van hem had meegemaakt.

2

In de weken die volgden op het etentje met Jolien had Stance geen tijd meer om nog over haar na te denken. De scholen waren begonnen en bovendien nam haar werk haar volledig in beslag. De nacht waarin Wim haar na het etentje heftig had genomen had ze uit haar geest gebannen. Jolien daagde Wim uit, besloot ze. Ze had hem op zitten warmen. Misschien fantaseerde hij wel dat zij Jolien was als ze seks hadden.

Haar leven met Wim hernam zijn dagelijkse, gewone gang. De kinderen gingen naar school en naar hun clubs, Wim en zijzelf gingen naar hun werk. Als ze elkaar alleen troffen spraken ze over koetjes en kalfjes en over de kinderen. Totdat Stance op een dag bij de post een enveloppe zag van het instituut Antropologie, waar ze samen met Jolien had gestudeerd. Het was een uitnodiging voor een reünie van hun jaar.

Geïrriteerd legde ze het papier terug op de stapel post. Ze had een hekel aan reünies. Van tijd tot tijd ontving ze dergelijke uitnodigingen, van haar middelbare school, van de secretaresseopleiding die ze na haar huwelijk had gevolgd of van een koor uit haar meisjestijd. Mensen hielden van het ophalen van herinneringen. Zij niet. Sommige gezichten herkende ze met moeite en dan sluimerde er onderhuids venijn in de gesprekjes, want iedereen wilde zichzelf zo voordelig mogelijk presenteren, waardoor er ongepaste vragen werden gesteld.

Jolien, schoot haar te binnen. Zou Jolien gaan? Als ze ging zou ze haar weer ontmoeten. Wilde ze dat? Ze dacht aan de avond met Wim erbij en resoluut pakte ze de brief weer van de stapel post en verscheurde hem. Ze zou niet gaan.

Die avond had ze al met de kinderen gegeten toen Wim thuiskwam. 'Heb je gegeten, of moet ik nog iets voor je klaarmaken', zei ze gewoontegetrouw, want ze wist het antwoord immers al. Als hij laat thuiskwam had hij onderweg of op de zaak een hapje gegeten. Hij schudde zijn hoofd terwijl hij haar vluchtig op haar wang zoende. Daarna pakte hij het stapeltje post naast zijn lege bord op de eettafel. 'Breng jij straks de kinderen naar bed', vervolgde ze met een zucht. 'Ze zien je graag nog even voordat ze gaan slapen.'

In de keuken stapte ze naar buiten om op het balkon een sigaret te roken. Ze overwoog Wim te vertellen over de reünie en over haar besluit om niet te gaan. Misschien belde Jolien wel om te informeren of zij ging. Als hij niets wist zou hem dat alleen maar nieuwsgierig maken.

Ze doofde haar sigaret in een van de lege plantenbakken en stapte weer naar binnen. Haar oordeel over Jolien was misschien te hard, overwoog ze terwijl ze de klep van de afwasmachine opende. Waarschijnlijk ging het toch echt niet goed met haar. Ze stond overal alleen voor... Zij had Wim en de kinderen, ze had een vol bestaan met vanzelfsprekende warmte om haar heen... Ze voelde zich plotseling een egoïste, die Jolien uit de weg ging omdat het haar gewoon eventjes niet uitkwam. Vroeger was ze haar beste vriendin geweest.

Ze liep naar de afvalbak en graaide erin tot ze de stukken papier van de uitnodiging vond. Nadat ze haar handen had gewassen liep ze ermee naar de woonkamer. Wim zat onderuit gezakt in zijn luie stoel voor zich uit te staren. 'Was je nog bij de kinderen', informeerde ze vriendelijk. 'Ja hoor', mompelde hij afwezig. 'Ze redden het overigens alleen ook wel. Ze zijn groot genoeg om zelfstandig naar bed te gaan. Ik heb ze even gedag gezegd.'

'Dan ga ik zo nog wel even', antwoordde Stance. Ze legde de snippers van de uitnodiging op de eettafel en liep terug naar de keuken om twee kommen koffie te maken.

'Is er iets', zei ze toen ze even later met een kom koffie tegenover hem zat. 'Je bent zo stil.'

'Ach, ik ben gewoon moe', antwoordde Wim. 'Veel gedoe aan mijn kop.'

'Dan heb ik een leuk nieuwtje', vervolgde Stance. 'Er komt een reünie en ik heb besloten dat we deze keer gaan. Al is het maar om Jolien een plezier te doen.'

'Ik dacht dat je helemaal niet hield van een reünie', antwoordde Wim. 'Ja, maar deze keer doe ik het voor Jolien. Het is van het instituut Antropologie. Ik weet zeker dat ze komt. Toen waren we elkaars beste vriendinnen.' 'Ik weet niet of ik meega hoor', wuifde Wim. Hij nam een slok koffie. 'Het is meer iets voor jou.'

'Best', zuchtte Stance. 'Ik bel Jolien wel om te vragen of we samen zullen gaan. Het zal voor haar een leuk verzetje zijn. Ik vertrouw er nog steeds niet op dat het goed met haar gaat.' Wim kwam overeind in zijn stoel en zette zijn kom naast zich op een tafeltje. 'Ik moet je iets vertellen', zei hij. Bedachtzaam roerde hij in zijn koffie. 'Gisteren ben ik Jolien tegen het lijf gelopen en hebben we samen een hapje gegeten. Ik vertel het je eerlijk, ze zal het je ook zelf wel vertellen.'

'Dan kom je wel laat met je eerlijkheid', antwoordde Stance geschrokken. Ze had een hoogrode kleur. 'Waarom vertelde je mij dat gisteren niet? Je vertelt het alleen vanwege de reünie.'

'Tja, als je zó reageert', suste Wim. 'Mag ik? Ik ben het gewoon vergeten te vertellen. Zo belangrijk is het nou ook weer niet. Ik dacht er pas weer aan toen je over de reünie begon.' 'En, hoe gaat het met Jolien', vervolgde Stance onderkoeld. 'Gewoon', antwoordde Wim. 'Ik kreeg niet het idee dat er iets met haar aan de hand is.'

'Gelukkig maar', zei Stance. Met een ruk stond ze op. 'Ik zal meteen even bellen voor de reünie. Ze vragen wie er een praatje wil houden over de jaren na de studie. Dat is voor haar een uitgelezen kans om een hoop interessants te vertellen.'

Wim overwoog hoe jammer het was dat Stance zo geprikkeld reageerde op zijn mededeling dat hij samen met Jolien een hapje had gegeten. Maar hij had het kunnen weten en het was inderdaad een reden waarom hij er niet over gesproken zou hebben als ze niet over de reünie was begonnen. Veel had het overigens niet om het lijf. Jolien kwam net als hij uit haar werk toen ze bijna tegen elkaar opbotsten. Ze hadden samen een pizza gegeten met hooguit voor ieder twee glazen wijn erbij. Ze zag er goed uit, vond hij en hij had haar gecomplimenteerd. 'Geen avonturen meer voor mij', antwoordde ze toen hij informeerde naar haar liefdesleven. 'Zo is het leven ook goed.'

Was hij verliefd op Jolien? Hij kon niet ontkennen dat hij veel aan haar dacht. Maar verliefd? Nee. Het was eerder een gevoel van bewondering, vermengd met afgunst omdat ze hem herinnerde aan de periode voor zijn huwelijk met Stance, waarin hij net als zij nog kon gaan en staan waar hij wilde. Stance was een vrolijke meid die nog niet overal iets achter zocht en altijd op hem liep te vitten. Jolien herinnerde hem aan een leven waarin hij niets hoefde uit te leggen als hij onverwachts een pizza ging eten met een leuke vrouw. Als hij hierover begon hield Stance hem voor dat hij de vrijheid van vroeger romantiseerde.

'Zo vrij waren we niet', kon ze vol vuur betogen met een stelligheid die hem juist het tegendeel deed geloven. 'Het was helemaal niet zo leuk in je eentje. Vaak ging je maar naar de kroeg omdat je je eenzaam voelde. En dan volgde er een of andere ontmoeting met een vreemd type, of kwam je gefrustreerd thuis, want na veel te veel drank leek het alsof iedereen plezier had, behalve jij. Kijk nou eens naar Jolien...' En dan begon ze weer over Jolien, over hoe hard ze moest knokken in het leven en hoe droevig ze soms was na een of andere mislukte relatie, in vergelijking met hoe goed zij het met elkaar hadden. Maar was dit wel zo? Hij kon alles wat hij samen met

Stance ondernam voorspellen, zelfs hun seksleven, dat nog maar een keer of twee per maand vluchtig, in de duisternis plaatsvond. Moest hij genoegen nemen met een leven waarin alles tot zijn zeventigste was uitgestippeld, tot en met wanneer ze hun kleinkinderen op bezoek zouden krijgen, sommigen misschien tegen hun zin? Stance gaf hem niet eens een kans om samen te filosoferen over hun leven samen. Ze hadden voor elkaar gekozen, hield ze hem voor, ze hadden het goed, punt uit. Was ze misschien bang? Bang dat er gevoelens en behoeftes boven tafel zouden komen die haar zekerheden konden ondermijnen?

'Ze komt ook', zei Stance met een glimlach toen ze weer tegenover hem zat. 'Jolien en ik zullen elkaar bij het instituut ontmoeten.' Opgelucht omdat ze leek bijgedraaid stond Wim op om voor hen beiden een glas port in te schenken. 'We proosten op een geslaagde reünie', zei hij terwijl hij naar de keuken liep. 'Ze had het verder nergens over', riep Stance hem achterna. 'Ze vroeg niet eens of jij er ook zou zijn.'

'Hoe zou je het vinden als ik eerder dan gepland naar Californië ga', zei Wim weloverwogen nadat hij uit de keuken was teruggekeerd met een fles port en twee glazen. 'Ik heb eens na zitten denken. Het is goed voor ons als we wat losser tegenover elkaar komen te staan.'

'Hoe kom je daar nu weer bij', antwoordde Stance geïrriteerd. 'Heb je dat zo-even zitten te verzinnen, of loop je al langer rond met dat plan?' Zo beheerst mogelijk overhandigde Wim haar een glas port. 'Het is een plannetje dat zomaar in mij opkwam', vervolgde hij terwijl hij neerplofte op zijn stoel tegenover haar. 'Je maakt je druk om niks als het over mij gaat. Ik zou graag weer eens een poosje vrij zijn.'

'Dus dat is het', riep Stance. 'Je wilt van mij af en Californië is een veilige smoes omdat je ouders daar zitten. Wat zeg ik tegen de kinderen? Dat je bij opa en oma zit?'

'Zie je wel, je zit meteen op de kast', antwoordde Wim kalm. 'Er valt met jou gewoon niet meer normaal te praten. Wat is nu helemaal een maand langer in Californië dan gepland. Ik kan daar rondreizen, inspiratie opdoen... het zou voor ons allebei goed zijn.'

'Nu kom je weer aanzetten met je argument dat jouw vrijheid voor ons allebei goed zou zijn', antwoordde Stance. Ze sprong op en liep naar de eettafel om haar glas opnieuw vol te schenken. 'Ik ben niet achterlijk. Jolien heeft je aan het denken gezet. Zij gaat en staat waar ze wil, dus waarom jij niet?'

'Stance, ze is niet de enige alleenstaande vrouw die ik af en toe spreek', zei Wim geïrriteerd. 'Ik leef niet op een eiland met jou en de kinderen. Wat heb je toch met Jolien de laatste tijd? Ik vind haar aardig. Volgens mij is ze lang niet zo zielig als jij mij wil laten geloven. Laat haar toch met rust. Misschien ben je jaloers op Jolien. Zou jij ook wel weer eens willen voelen hoe het is om vrij te zijn.'

'Je gaat maar als je drang zo groot is om vrij te zijn', zei Stance plotseling beheerst. 'Het interesseert mij eigenlijk niet meer wat je doet. Ik red mij wel met de kinderen.'

'Op die manier hoeft het nou ook weer niet', antwoordde Wim. Hij stond op en liep naar haar toe. 'Je moet inzien dat het onze relatie ten goede komt als we een poosje onafhankelijk van elkaar opereren.' Ze weerde hem af toen hij haar kleine zoentjes in haar nek probeerde te geven.

'Ik ga naar boven', zei Stance mat. Ze zette haar glas port met een krachtig gebaar terug op de eettafel. 'Morgen moet ik er weer vroeg uit om de kinderen naar school te brengen. Sluit jij de boel hier af?'

3

Op de avond van de reünie drentelde Stance heen en weer op de stoep voor het instituut. Af en toe speurde ze naar het gezicht van Jolien tussen de mensen die haar richting op kwamen lopen. Soms knikte ze naar iemand die ze meende te herkennen, maar het korte oogcontact bleef meestal onbeantwoord, waardoor ze weer twijfelde. Wat doe ik hier eigenlijk nog, overwoog ze terwijl ze op haar horloge keek. Het was bijna kwart voor acht, Jolien had er allang moeten zijn. Over een kwartier zouden ze beginnen.

Vanmorgen had ze afscheid genomen van Wim, die de knoop had doorgehakt en besloot een maand eerder dan gepland naar Californië af te reizen. Koel en afstandelijk namen ze afscheid. Tegen Mees en Willemijn vertelden ze dat hij oma en opa ging opzoeken, waardoor ze werden gerustgesteld.

Zijzelf had in de week voor zijn vertrek nauwelijks tegen hem gesproken. 'Betekent dit een breuk in ons huwelijk?', vroeg ze hem een keer. 'Wat ben je van plan daar te gaan doen? Hoe moet ik nu alles managen, alleen met de kinderen?' Gelukkig waren haar ouders bereid om de kinderen op te vangen als zijzelf weg moest of even rust nodig had. Het was haar gelukt om een voorschot op haar vakantiedagen op te nemen, iets wat ze uit nijd had geregeld. Ze gunde het Wim niet dat ze ging zitten treuren als hij het ervan nam in zijn eentje. 'Veel winkelen en veel op stap', zei ze zo luchtig mogelijk tegen Wim en haar ouders. 'Ik heb met de kinderen geen gemakkelijke jaren gehad.'

Opnieuw keek ze op haar horloge. Jolien was nergens te

bekennen en de stroom mensen die naar het instituut kwamen nam af. Het was bijna tijd. Met een zucht grabbelde ze in haar handtas naar haar mobiele telefoon. Nadat ze het toestel bij Jolien thuis een paar keer over hoorde gaan hoorde ze de stem van Jolien op haar voicemail. 'Sorry, ik kan je niet te woord staan, laat een bericht achter.' Stance overwoog dat ze misschien ergens vastzat in het verkeer. Het was vreemd dat ze niet op het idee kwam haar te bellen als ze was verlaat, bedacht ze meteen daarop. Ze toetste het mobiele nummer dat ze nog had van Jolien. Opnieuw hoorde ze haar stem op een voicemail.

Ik heb er genoeg van, dacht Stance nadat ze haar telefoon met een driftig gebaar in haar tas had gestopt. Ik sta hier voor schut op de stoep te wachten. Met vastberaden passen beende ze naar een taxistandplaats tegenover het instituut en nadat ze in een taxi was gestapt noemde ze het adres van Jolien.

'Mijn God', riep Jolien toen ze Stance voor haar deur zag staan. 'Helemaal vergeten.'

'Ik heb ruim een half uur staan wachten', zei Stance nijdig. Ze duwde Jolien opzij en stapte naar binnen. 'Je was nergens te bereiken.' Jolien rende haar opgewonden achterna, maar het was te laat. Stance hapte naar adem toen ze in de woonkamer stond. 'Je bent spullen aan het inpakken', riep ze. Verbijsterd keek ze naar de openstaande koffer op de bank, met ernaast een berg kleding. 'Ga je op reis?'

'Morgenochtend vroeg', antwoordde Jolien kortaf. Wat dacht Stance wel? Goed, ze was de reünie vergeten, maar daarom hoefde ze nog niet haar huis binnen te komen stormen. Ze had alleen naar binnen kunnen gaan en bericht afwachten. Zulke dikke vriendinnen waren ze niet meer de laatste jaren. 'Ik moet onverwachts naar New York voor een conferentie.'

'Dat is mooi', antwoordde Stance. Ze drentelde door de kamer. 'Dat is natuurlijk veel belangrijker dan een onbenullige reünie met oud-studiegenoten. Die hebben het alleen maar over hun saaie levens. Jij bent een vrouw van de wereld geworden.'

'Koffie?', zei Jolien. Zonder antwoord af te wachten liep ze naar de keuken. Vertwijfeld vroeg ze zich af waarom ze Stance in hemelsnaam ooit in vertrouwen had genomen over haar mislukte affaire en bij haar was gaan eten. Ze waren uit elkaar gegroeid. Stance wilde de rol van succesvolle getrouwde vrouw met kinderen, van haar verwachtte ze dat ze haar nodig had omdat ze als vrouw zonder een partner en kinderen een eenzaam bestaan leidde. Alles wat deze rolverdeling aan het wankelen bracht leek Stance kwaad en achterdochtig te maken, al begreep ze niet goed waarom.

Stance keek om zich heen nadat Jolien uit de kamer was vertrokken om koffie te zetten. Overal in de kamer verspreid lagen spullen die ze mee wilde nemen, zoals een stapeltje boeken, schrijfbenodigdheden en een snorkel. In New York een snorkel? Schoot door haar heen. Gaat Jolien in zee zwemmen? Merkwaardig.

Ze liet haar hand glijden over een lichtblauwe zijden jurk toen haar oog viel op een strook papier uit een van de boeken op de salontafel. Voor een kort moment spiedde ze naar de kamerdeur om te zien of Jolien niet in de deuropening stond. Vervolgens pakte ze het boek. Toen ze het opensloeg zag ze wat ze al vermoedde, het was haar vliegticket. Los Angeles, las ze met een schok. Het was een vliegticket naar Los Angeles! Daar zat Wim! Jolien ging helemaal niet naar New York. Met een klap sloot ze het boek. Beheerst, vol ingehouden woede, liep ze naar de keuken.

'Jammer dat we nu niet op de reünie zijn', zei ze zo nonchalant mogelijk toen ze naast Jolien in de keuken stond. 'Ik had mij erop verheugd. Had je nog een praatje voorbereid?'

'Alles is door mijn hoofd geschoten', antwoordde Jolien. Ze haalde een pak stroopwafels uit een keukenkast tevoorschijn.

'Het is de laatste tijd vreselijk hectisch geweest, je had mij moeten bellen om mij eraan te herinneren. Ik ben het echt vergeten.'

'Alsof ik niks te doen heb', antwoordde Stance. 'Jij hebt alleen jezelf om voor te zorgen. Ik begrijp niet waar je het over hebt. Moet je bij mij komen. Als ik 's avonds een half uurtje voor mijzelf heb is het veel. Misschien vergeet je daarom wel belangrijke afspraken. Je hebt teveel tijd om over jezelf na te denken.'

'Bedankt', antwoordde Jolien onderkoeld. Ze schonk koffie in twee kommen en zette ze met het pakje stroopwafels op een dienblad. 'Ik ren trouwens juist altijd achter het drukke schema van gezinnen met kinderen en dan word ik geacht om op afroep lege plekken aan tafel op te vullen'. Met het dienblad in haar handen liep ze naar de woonkamer. 'Als het tegenzit moet ik weer verdwijnen vanwege een voor de huwelijkse staat bedreigende factor als femme fatale. Je ziet, ik vervul vele rollen.'

'Waar gaat die conferentie in New York eigenlijk over', zei Stance toen ze in de woonkamer tegenover elkaar zaten. 'Och, over iets wat je niet zal interesseren', antwoordde Stance. 'Over organisatiestructuren bij rampen op mondiaal niveau.'

'Hoe lang blijf je weg', vervolgde Stance. 'Ik bedoel, als ik al die spullen zie is het zeker niet voor een weekje.'

'Dat weet ik nog niet precies hoor', antwoordde Jolien. Ze roerde in haar koffie. 'Misschien plak ik er een vakantie aan vast.'

'Je gaat helemaal niet naar New York', zei Stance. Ze haalde diep adem en nam een grote slok koffie. 'Ik zag je vliegticket. Je liegt. Je gaat naar Los Angeles. Want daar zit Wim.

'Zeg, je denkt toch niet dat ik iets heb met Wim!' Jolien sprong met een ruk overeind uit haar stoel. 'Trouwens, sinds wanneer snuffel je in andermans papieren. Sodemieter op.'

'Dat was ik juist van plan', antwoordde Stance. 'Opsodemieteren. Want dat willen jullie toch? Jij en Wim? Sinds wanneer hebben jullie iets met elkaar? Je zat hem gewoon op te vrijen de laatste keer dat je bij ons was.'

Jolien sloot haar ogen. Ze beefde over haar hele lichaam. 'Je moet je problemen met Wim niet op mij afschuiven Stance', zei ze nadat ze zichzelf weer onder controle had. 'Oké, we hebben een afspraak in Los Angeles, maar daar steekt niets achter. Wim en ik kunnen goed met elkaar overweg, dat is alles. Van daaruit reis ik door naar New York. Ik heb een paar extra vakantiedagen opgenomen. Meer is er niet aan de hand.'

'Dus jij bespreekt de problemen in mijn huwelijk met Wim', zei Stance. Ze pakte haar jas. 'En ik moet geloven dat er niks is tussen jullie.'

'Stance, hij wil meer vrijheid', antwoordde Jolien. Ze pakte Stance bij een arm. 'Hij vindt je gedrag benauwend. Het breekt hem op dat hij nooit iets voor zichzelf heeft.'

'Heeft hij dat gezegd', zei Stance met een kort, ironisch lachje. 'Vertelde hij erbij dat hij vier avonden in de week weg is zonder te vertellen waar hij precies heeft uitgehangen? Jaren achter elkaar?' Ze schudde zich los en liep met grote passen naar de voordeur. 'Ik vind het verder wel', riep ze nadat ze de deur had geopend. 'Goede reis.'

Thuis smeet Stance haar sleutelbos op een kastje in de hal. Ze gooide haar jas over een stoel in de woonkamer en daarna rende ze naar de telefoon om haar ouders te bellen. 'Ik moet een paar dagen op reis', zei ze zo beheerst mogelijk toen ze haar moeder aan de lijn kreeg. 'Kunnen de kinderen een poosje bij jullie blijven?' Even later drukte ze in de slaapkamer van haar zoon op de startknop van zijn computer. Ze ging ook naar Los Angeles, had ze onderweg naar huis besloten. Ze moest Wim spreken.

Bleek en met wallen onder haar ogen stond Stance de volgende dag in de vertrekhal van het vliegveld. Omdat ze het koud had doordat ze nauwelijks had geslapen en ze voor haar vertrek alleen maar haastig koffie naar binnen had gewerkt, wikkelde ze zich stevig in de grote, blauwe zijden sjaal die ze op het laatste moment van de kapstok had gerukt.

Vannacht lukte het haar om dezelfde vlucht als Jolien te boeken. Ze printte een vliegticket en propte daarna wat spullen in een rugtas. Ze had geen oog dichtgedaan totdat het tegen zes uur 's ochtends tijd was om een taxi te bellen. Gelukkig was ze nog op het idee gekomen om haar werk te bellen. Op een bandje sprak ze in dat ze plotseling op reis moest. Er was iets met Wim.

Er trok een rilling door haar heen. Voor de incheckbalie stond een lange rij en juist wilde ze zich aansluiten toen ze Jolien zag. In een zwart mantelpakje met daaronder korte, hooggehakte laarsjes, sleepte Jolien als een ervaren zakenvrouw een grote blauwe koffer achter zich aan. Ze liep in de richting van een rij bagagekarren. 'Op en top alles onder controle', mompelde Stance. Onwillekeurig liet ze haar ogen over haar eigen kleding glijden. Ze droeg haar korte, donkerblauwe wollen jas, met daaronder een grijze slobbertrui boven de enige spijkerbroek waar ze nog moeiteloos in kon. Verder had ze vanmorgen vroeg nergens anders op kunnen komen dan haar lage, platte huisschoenen. Haar zijden sjaal was het enige wat haar verder saaie, alledaagse outfit een beetje kleur gaf. In vergelijking met Jolien zag ze eruit als een huisvrouw die bij het schoolplein op haar kinderen wachtte. Bij deze gedachte schudde ze haar haren met een ruk naar achteren. Haar rol was nog niet uitgespeeld, wat dacht Jolien wel! Ze was klaar voor de strijd!

Toen ze zag dat Jolien rond keek, waarbij ze vastberaden met de bagage haar kant op kwam om zich bij de incheckbalie aan te sluiten, keek ze snel de andere kant op. Langzaam schoof de rij op en zo onopvallend mogelijk sloot Stance steeds aan, tot ze haar naam hoorde roepen. Geschrokken schoof ze met haar bagagekar uit de rij.

'Wat doe jij hier zo vroeg', zei Jolien toen Stance naast haar stond. 'Ga je ook op reis?'

'Ik ga naar Wim', antwoordde Stance zo nonchalant mogelijk. Alsof haar ontmoeting met Jolien haar nauwelijks iets deed. 'Hij weet ervan. Heb ik je dat gisteren niet verteld? De kinderen zijn bij mijn ouders.' Ze zag dat Jolien van haar stuk was gebracht. 'Weet je dat wel zeker', zei ze aarzelend. Met een onbewust gebaar drukte ze haar handtas stevig tegen zich aan. 'Of heb je dat gisteravond nog geregeld?' Stance zweeg, waarbij ze haar lippen met een blik van afkeuring op elkaar perste. 'Ik bedoel na ons', vervolgde Jolien.

Op dat moment voelde Stance hoe ze tranen in haar ogen kreeg. Het leek alsof er iets in haar brak en plotseling voelde ze zich doodmoe. Wat doe ik hier, dacht ze in een flits. Wat heb ik mij verbeeld?

Jolien keek op haar horloge. Ze monsterde de rij voor hen. 'We zijn ruim op tijd', vervolgde ze monter alsof er niets aan de hand was. 'We zijn gek om zo lang in de rij te gaan staan. Laten we een kop koffie drinken, ik moet trouwens hoognodig naar de wc.' Ze zwenkte haar bagagekar behendig opzij en gebaarde naar Stance dat ze haar moest volgen.

'Ik moet ook naar de wc', zei Stance toen ze tegenover elkaar aan een tafeltje zaten. 'Laten we samen even gaan.' Ze pakte haar handtas en boog zich opzij naar een jong stel naast hen. 'Letten jullie even op onze bagage', zei ze met een gebaar naar haar bagagekar. 'We zijn zo terug.'

'Strijdbijl begraven?', informeerde Jolien. Ze liepen door de vertrekhal in de richting van de toiletten. 'Strijdbijl begraven', bevestigde Stance. Ze sloeg haar sjaal om zich heen en opende de deur van de toiletten.

Toen Stance achter Jolien stond keek ze met een snelle blik

om zich heen. Ze constateerde dat ze de enigen waren in de toiletten. Daarna gleed haar blik naar Jolien, die voor een spiegel stond en lippenstift uit haar handtas haalde. Plotseling schoot Stance vol met een drift die haar duizelig maakte en deed wankelen. Daar staat mevrouw, dacht ze met een brok in haar keel. Haar ogen gleden over het lichaam van Jolien. Eerst de Ghanees en nu Wim, mijn man. Dat noemt zich mijn beste vriendin.

Met een glimlach draaide Jolien zich om naar Stance. Maar toen ze naar een deurklink greep pakte Stance haar hand vast en duwde ze haar met een razendsnelle beweging een toilet binnen.

'Wie denk je eigenlijk dat je bent', siste ze. Ze gaf Jolien een trap waardoor ze met een klap op de toiletpot terechtkwam. Daarna draaide ze de deur op slot. 'Je hebt mij lopen te bedonderen', vervolgde ze in razernij. 'Denk je dat je hiermee wegkomt?'

Jolien keek haar geschrokken aan. 'Stance, hou hiermee op', stamelde ze met een hoogrode kleur. Ze wreef over haar benen, die Stance pijnlijk had geraakt. 'Je bent in de war.'

'In de war? Nou wordt het nog mooier', antwoordde Stance met een stem die op een vreemde manier achter in haar keel bleef steken. Ze trok Jolien overeind en perste haar met haar gezicht tegen de muur. 'Jij en Wim hebben gedacht dat jullie een loopje met mij konden nemen, is het niet?' Met een ruk greep ze naar de sjaal rond haar hals. 'Draai je om en kijk me aan', zei ze op een bevelende toon.

Stance wierp de sjaal rond haar hals op het moment dat Jolien zich omdraaide. Ze trok haar met een forse ruk naar zich toe om de sjaal vervolgens kruislings stevig aan te trekken. Happend naar adem trapte Jolien met haar benen waarbij ze met haar armen zwaaide en de deurklink probeerde vast te pakken. 'Draai je om', beval Stance terwijl ze de sjaal strak rond haar hals hield. Met een blauw aangelopen gezicht drukte Stance Jolien tegen de muur van het toilet, waarbij ze de uiteinden van de sjaal stevig bleef vasthouden.

Door de pijn en benauwdheid bood Jolien na enige tijd geen verzet meer. Het was alsof haar wil uit haar lichaam verdween, tegelijkertijd met het bloed dat in haar hoofd leek te zijn gestold, waarbij het was alsof ze uit elkaar zou barsten. Haar knieën trilden en toen Stance de sjaal aan bleef trekken totdat ze helemaal geen lucht meer kreeg, voelde ze haar oren suizen en zakte ze op de grond in elkaar.

Zo beheerst mogelijk, met ingehouden passen, liep Stance even later in de richting van de koffiebar waar zijzelf en Jolien een klein half uur daarvoor hun bagagekarren hadden achtergelaten. Ze glimlachte naar het stel en pakte haar kar.

Er stonden nog maar een paar mensen in de rij voor de incheckbalie en ze was snel aan de beurt. Met in haar hand een instapkaart en paspoort liep ze naar de paspoortcontrole. Uit haar handtas pakte ze haar mobiele telefoon en een bos huissleutels voor de handbagagecontrole.

Twintig minuten later passeerde ze de detectiepoort en met een kort knikje naar de beveiliging pakte ze een kwartier later opgelucht haar spullen bij elkaar. Een kort moment schoot opnieuw de wanhopige vraag door haar heen wat ze in vredesnaam op het vliegveld deed, terwijl ze rond dit tijdstip de kinderen naar school zou hebben gebracht. Maar net zo snel als de gedachte opkwam verdrong ze hem weer.

In de wachtruimte bij de terminal toetste ze het nummer van Wim. 'Ik heb een verrassing voor je', zei ze opgewekt toen ze zijn stem hoorde. 'Ik ben onderweg naar je toe. Over een kleine drie kwartier vertrek ik.' Aan zijn stem kon ze horen dat hij schrok. 'En de kinderen?', was het eerste wat hij zei nadat er een poosje een stilte was gevallen. 'Ze zijn bij mijn ouders', antwoordde Stance. 'Alles is geregeld voor een paar dagen vakantie samen.'

‘Hoe was de reünie’, informeerde Wim, waarbij hij haar laatste opmerking negeerde. Ze hoorde aan zijn matte stem dat hij zijn irritatie probeerde te onderdrukken. ‘Geweldig’, antwoordde Stance. ‘Ik kwam Jolien later nog tegen. Het gaat heel goed met haar. Je moet de groeten hebben.’

Wolfskers

Proloog

(Haarlems Dagblad, 28 december 1998, *doorsturen aan notaris Van Helderen, Bergen NH)*

Uitslaande brand in Bergen Noord-Holland

Door een onzer redacteuren...
Haarlem, 28 december.

In de nacht van zondag op maandag heeft een grote, uitslaande brand gewoed in de villa in Bergen NH van de componist en musicus Dirk de Luyvere, die kort na aankomst in het ziekenhuis aan zijn verwondingen overleed.
Voor zover bekend zijn er verder geen gewonden gevallen of doden te betreuren. Volgens notaris Van Helderen te Bergen NH, executeur testamentair van Dirk de Luyvere, is de brand met opzet veroorzaakt om een oude rekening te vereffenen. Een woordvoerder van de politie meldde dat de brand een wanhoopsdaad is geweest, waarbij men voor wat betreft het motief nog in het duister tast.

Bergen, 27 december 1998

Zeer geachte heer Van Helderen,

Sinds een paar maanden word ik in dit grote huis in Bergen door schuldgevoelens gekweld. Mij is namelijk gebleken dat ik hier op onrechtmatige gronden woon, omdat dit huis is verworven door chantage van een weerloos mens. Ik heb nog niet goed overdacht wat er zal gebeuren als ik de brieven waaruit dit blijkt zal hebben verzonden. Misschien kunt u de wettige erfgenamen van dit huis opsporen, om hen schadeloos te stellen voor het leed dat mijn overgrootvader hun familie heeft toegebracht, door hen met ongeoorloofde middelen te onteigenen. Mocht dit niet lukken, dan volstaat het misschien ze aan de vergetelheid te ontrukken, waardoor er mijns inziens recht wordt gedaan.

Het schaamrood steeg mij naar de kaken toen ik kennisnam van de inhoud van de brieven, die ik op zolder vond tijdens de laatste grote verbouwing. Uit het postadres blijkt dat Carel Broesschaat in dit huis woonde en dat zich hier een drama heeft voltrokken, waar mijn overgrootvader misbruik van heeft gemaakt.

Als ik hier naar boven ga, passeer ik op de trap de portretten van mijn voorouders. Zelf heb ik nooit mijn portret willen laten maken, omdat ik dat ijdel vond en uit de tijd. Bovendien heb ik nooit, zoals mijn overgrootvader, grootvader en vader rechten gestudeerd, om later carrière te maken in de magistratuur. Ik heb de stem van mijn hart gevolgd en ging naar het conservatorium, om later niet onverdienstelijk viool te spelen in het Gelderse streekorkest, met als bijverdienste lessen aan huis. Ik trouwde met een van mijn pupillen en we hadden gelukkige jaren in Arnhem, waar we ook toen al huisconcerten organiseerden.

Mijn vader zag ik niet veel, want Adriane en ik hadden een druk en vol bestaan. Ook had ik na het overlijden van mijn moeder niet veel zin meer in de reis van Arnhem naar Bergen en vise versa, omdat het contact met mijn vader ronduit slecht was. Mijn vader heeft het met moeite geaccepteerd dat ik hem niet wilde opvolgen, maar koos voor de muziek.

Toen hij plotseling overleed aan een hartinfarct, was ik de enige erfgenaam van dit huis. Hoewel Adriane en ik kinderloos bleven, tot groot verdriet van Adriane overigens, besloten we het familiehuis niet te verkopen, maar er zelf in te gaan wonen en naar Bergen te verhuizen. We zouden immers meteen over meer ruimte beschikken voor onze huisconcerten, die we tot dusver in een krappe kamer en suite hielden. We konden ons nu zelfs een vleugel permitteren. Ik wilde in Bergen een bloeiend muziekleven tot stand brengen, en zoals u weet is dit gelukt.

Kon ik hier maar troost uit putten om verder te gaan. De geschiedenis rondom het noodlottige ongeval van Adriane kent u. Haar plotselinge dood heeft het hele dorp geschokt. Onderweg overvallen door noodweer, verloor ze de macht over het stuur en werd haar auto fataal geraakt door een omvallende boom.

Ik moet u bekennen dat ik hier sindsdien geen rust meer heb gevonden. Met het verlies van Adriane verloor mijn leven doel en zin. Ik hoopte dat de verbouwing mij moed zou geven voor een nieuwe start, totdat ik de brieven vond die de bodem onder mijn bestaan wegvaagden. Doe met de brieven wat u goed dunkt. Met het vrijgeven ervan geef ik het oordeel over de kwestie uit handen, waarmee ik hoop dat rechtvaardigheid geschiedt.

Dirk Willem de Luyvere

Themanummer Bergense Tijdingen september 2000: Verzwegen drama in het culturele leven: de villa van Dirk de Luyvere

Beste lezers!

Het culturele leven in Bergen heeft vele hoogtepunten gekend, zoals die rondom onze beroemde inwoner vanaf 1918 tot zijn overlijden in 1976 'Jany' Roland Holst, de 'Prins der dichters' waar van tijd tot tijd nieuwe verhalen over opduiken, maar ook dieptepunten. Misschien herinneren sommigen onder u zich de grote uitslaande brand te Bergen in de villa van de componist en musicus Dirk de Luyvere, die daarbij het leven verloor. De villa, die door de brand nagenoeg volledig in de as werd gelegd, vormde lange tijd een zwart, duister gat in Bergen en herinnerde ons keer op keer aan het drama, dat zich hier in de nacht van 27 december 1998 afspeelde.

De heer Dirk de Luyvere was een zeer gewaardeerde persoon, die jarenlang in de villa huisconcerten organiseerde. De concerten in een intieme ambiance genoten ook buiten Bergen bekendheid. Zijn dood door de brand, waarbij onderzoek uitwees dat hijzelf de aanstichter was, heeft Bergen lang in verslagenheid gedompeld. Want in hem verloor Bergen een man die veel voor het dorp heeft betekend.

Sommigen meenden dat het ongeval waarbij zijn echtgenote het leven verloor Dirk de Luyvere in een depressie stortte, waardoor hij tot zijn dramatische daad kwam. Degenen die dit weerspraken opperden dat hij kort daarvoor de villa had laten renoveren. De brand liet aldus de nodige vragen open. Weinigen zullen echter weten dat er achter de brand een familiedrama schuilt, waar wij van *Bergense Tijdingen* de primeur van in handen hebben. Onlangs ontving de redactie namelijk een stapel brieven uit de jaren 1921 tot 1927, waarvan het de uitdrukkelijke wens was van Dirk de Luyvere dat ze openbaar gemaakt zouden worden. De redactie heeft daarom besloten een speciaal themanummer te wijden aan de integrale briefwisseling, zoals deze nu door ons openbaar wordt gemaakt. Wij spreken daarbij de hoop uit dat het tot dusver verzwegen drama, een plaats zal krijgen in de harten van velen die Dirk de Luyvere goed hebben gekend.

Namens de hoofdredactie,

Anthony Van Winden-Ter Goes

Kunsthandel Broesschaat
Bergen NH

Bergen, maandag 20 januari 1921

Geachte heer mr. Willem de Luyvere,

Hoewel ik u te Haarlem op de receptie van de Handelsmaatschappij kort heb gesproken, neem ik de vrijheid u te schrijven omdat ik ons gesprek bijzonder plezierig heb gevonden. Ik zou namelijk graag nader met u in contact treden over een zaak die op mijn gemoed drukt.

Ik vertelde u dat ik al bijna vijftien jaar weduwnaar ben. Na het overlijden van mijn lieve vrouw Thera heb ik nooit de behoefte gevoeld te hertrouwen. Uiteraard heb ik mijn oog wel eens laten vallen op het vrouwelijk schoon, maar na bijna twintig jaar huwelijk heb ik nooit de behoefte gevoeld om een zekere herwonnen vrijheid op te geven. Hierin meende ik in u een geestverwant te vinden. U bent immers ook weduwnaar, zoals u vertelde. Derhalve kent u net als ik de geneugten van een leven zonder een kijvende vrouw die overal en altijd op u wacht om commentaar op uw handel en wandel te geven.

Nu betreft de zaak waarover ik u als gepensioneerd rechter wil benaderen een erfeniskwestie en een zaak van persoonlijk belang, waarbij ik door onderlinge verwevenheid moeilijk kan uitmaken wat voorrang geniet. Mijn lieve vrouw Thera is namelijk plotseling overleden onder nooit opgehelderde omstandigheden, en mijn schoonouders hebben mij indertijd beschuldigd van nalatigheid. Mijn dochter Ada Sophie, die toen veertien jaar oud was, hebben ze bij hen in huis genomen, want ze achtten mij ongeschikt om voor haar verdere opvoeding zorg te dragen.

Te midden van de verwarring rondom de dood van Thera heb ik ingestemd. Wat moest ik als man alleen? Ik was nog druk met de kunsthandel en veel op reis. Daarbij verkeerde ik nog in de veronderstelling dat ik haar regelmatig zou zien.

U moet zich voorstellen welk een commotie de dood van Thera hier in het dorp heeft gegeven. Ik rekende mij tot de intieme kring van burgemeester Van Reenen alhier. Met zijn echtgenote Vrouwe Van Reenen-Völter zat Thera in het comité voor de bouw van het kerkje te Bergen aan Zee. Na de geschiedenis met Thera ben ik overal buitengesloten. Voor mijzelf heb ik slechts met de grootste inspanning opnieuw een positie kunnen verwerven.

Ondanks dit noodlot heb ik van de kant van mijn schoonouders op geen enkel mededogen mogen rekenen. Mijn contact met Ada werd volledig afgesneden. Hieruit moest ik afleiden dat ze tegen mij werd opgezet, zijnde schuldig aan de dood van haar moeder. Omdat ik het tegendeel niet kon bewijzen, heb ik de situatie zo gelaten, ervan uitgaande dat ze contact op zou nemen wanneer ze de jaren des onderscheid zou hebben bereikt.

Dit was juist gedacht. Ada heeft inderdaad vorig jaar contact met mij opgenomen. Ze bracht mij in kennis van het overlijden van mijn schoonvader en ook mijn schoonmoeder bleek een paar jaar geleden overleden, zonder dat ik daarvan op de hoogte was gebracht. Haar schrijven behelsde de mededeling dat ze nu de rechtmatige erfgename was van het huis waarin ze is opgegroeid. Het kwam er in het kort op neer dat mijn dochter eigenaresse werd van mijn huis, waarbij ze bepaalde dat vooralsnog alles bij het oude bleef. Haar grootouders, de ouders van Thera, schonken ons immers bij ons huwelijk het vruchtgebruik van ons huis, met de bepaling dat we hier tot onze dood konden blijven, onder de voorwaarde dat de rechten op het huis overgingen op onze kinderen.

In reactie op de brief van mijn enige dochter heb ik haar uiteraard gecondoleerd, maar op mijn aangekondigde voornemen haar te willen bezoeken in verband met de afwikkeling van een en ander, heb ik niets meer vernomen.

Het leven in Bergen is eenzaam voor een man alleen, en u begrijpt dat ik hier niemand in vertrouwen kan nemen. Ik maak mij zorgen. Is mijn dochter gelukkig? Heeft ze een man getrouwd die goed voor haar zorgt? Ik word dit jaar zeventig jaar oud en hoewel mijn gezondheid goed is, heb ik niet zoveel jaren meer te gaan. Een vraag die mij bezighoudt is of ik alsnog mijn deel van de erfenis van mijn schoonvader kan opeisen.

Met de meeste hoogachting,
Carel Broesschaat

Kunsthandel Broesschaat
Bergen NH

Bergen, zaterdag 5 februari 1921

Geachte heer mr. Willem de Luyvere,

Vriendelijk dank voor uw antwoord dat ik jongsleden vrijdag ontving. Ik moet u bekennen dat ik voor een kort moment huiverde toen ik uw brief op de deurmat zag liggen.

Nadat ik namelijk mijn brief aan u op de bus had gedaan, werd ik overvallen door somberheid vanwege mijn ongevraagde confidenties. Maar uw antwoord heeft mijn eerste indruk van u bevestigd, want u leek mij een man van de wereld, die beslissingen niet afhankelijk stelt van aangereikte vooroordelen.

U verzoekt mij meer te vertellen over mijn huwelijk met Thera, omdat hierin volgens u de kern van het probleem met mijn schoonouders moet worden gezocht, met daaruit voortvloeiend de onterving en het afhouden van mijn dochter. U stelt dat de oplossing van het probleem voor de hand ligt, wanneer oorzaken en motieven worden ontdaan van hun emotionaliteit, waardoor de kale feiten als het ware voor het grijpen liggen.

Vergeef mij, maar zoals ik het zie zijn kale feiten onlosmakelijk verbonden met emotionele drijfveren, waardoor het voor een mens juist zo moeilijk is om beide uit elkaar te houden. Toch zal ik een poging ondernemen om mijn geschiedenis met Thera uit de doeken te doen, in de hoop dat u er het nodige uit kunt distelleren voor een afgewogen advies. Mijn dochter is helaas slechts speelbal geworden van de krachtenvelden zoals die zich tussen mij en haar moeder hebben ontvouwd. Maar nu loop ik vooruit op wat ik later zal trachten uiteen te zetten. Ik wil u bedanken voor uw aangeboden vriendschap en welwillend oor.

Met de meeste hoogachting,
Carel Broesschaat

Kunsthandel Broesschaat
Bergen NH

Bergen, maandag 7 februari 1921

Geachte heer mr. Willem de Luyvere,

Naar aanleiding van mijn schrijven dat u vandaag moet hebben ontvangen, zend ik u nog een krabbeltje, want ik realiseerde mij plotseling dat ik mijn brief wel heel abrupt beëindigde. U moet weten dat de kwestie mij emotioneel bijzonder raakt. Gisteren werd ik onwel van gevoelens waarvan ik meende dat ze al heel lang een plaats hadden gekregen binnen de gelijkmoedigheid van de dagelijkse gang.

Vergeef mij dus dat ik niet meteen een en ander nader heb ontvouwd.

Met de meeste hoogachting,
Carel Broesschaat

Bergen, woensdag 9 maart 1921

Beste Willem,

Het deed mij goed te vernemen dat u in goede gezondheid verkeert. Ik moet u bekennen dat het uitblijven van een reactie uwerzijds mij aan het twijfelen bracht over de vrijpostigheid waarmee ik u met mijn zaak heb belast. Uw mededeling echter dat u logeerde bij uw zoon in Gent, moedigt mij aan thans een poging te ondernemen een en ander nader toe te lichten.

Het geval wil dat ik tot mijn veertigste vrijgezel ben geweest. Voor mijn huwelijk met Thera was ik aldus gewend om mijn eigen zaken te regelen. Als jongste van vijf kinderen ben ik opgegroeid in een mijnwerkersgezin uit de Voerstreek. U zult begrijpen dat ik niet in grote welstand ben opgegroeid. Nu zult u wellicht uw wenkbrauwen fronsen bij zoveel onomwonden confidenties, die zonder enige verfraaiing tot u komen. Ik acht het echter van belang voor de kwestie de zaken niet mooier voor te stellen dan ze zijn.

Mijn vader overleed toen ik tien jaar oud was door een mijnongeluk, dat indertijd veel ophef veroorzaakte omdat de schachten waren verwaarloosd. Wél had ik het geluk dat ik de jongste was van drie broers en een zus, die mij als Benjamin een onbezorgde jeugd gunden. Toen vijf jaar later ook mijn moeder overleed aan tuberculose, een ziekte die haar vanaf mijn vroege jeugd bedlegerig had gemaakt, werd ik min of meer door hen opgevoed.

Dat ik mijzelf meer wenste voor mijn toekomst dan de voorbeelden die ik thuis zag moge duidelijk zijn. Omdat ik niet onverdienstelijk schilderde deed ik, zodra ik daartoe de leeftijd had, een gooi naar het hogere. Ik verzond wat prenten naar de kunstacademie te 's Gravenhage, en toen ik na een klein examen werd aangenomen, reisde ik af naar de Hofstad om hier met een toelage van mijn familie een kamer bij een hospita te betrekken. Al snel drukte het op mijn gemoed dat ik van het geld dat mijn zus en broers met hard zwoegen verdienden, een onbekommerd leven leidde. Toen mij dan ook werd aangeboden in de leer te gaan bij een gerenommeerde kunsthandel, greep ik de kans om in mijn eigen levensonderhoud te voorzien met beide handen aan. Dat ik hierdoor mijn studie verwaarloosde, deerde mij op dat moment matig, omdat ik overtuigd was van mijn talent, dat ook via andere wegen tot ontplooiing kon komen.

Binnen deze omstandigheden ontmoette ik Thera, de enige dochter uit een welgestelde koopmansfamilie. Maar hier loop ik op de zaken vooruit, temeer daar ik tijdens het ophalen van herinneringen mijn emoties slechts met inspanning in bedwang kan houden. Met nederige groet beëindig ik daarom voorlopig dit exposé.

Uw Carel Broesschaat

Kunsthandel Broesschaat
Bergen NH

Bergen, zaterdag 12 maart 1921

Beste Willem,

Zouden confidenties het gemoed dusdanig omwoelen, dat het gedaan is met de rust, waarbij je bovendien niet altijd meer weet wat oorzaak en gevolg was? U als voormalig rechter zal vaak met dit bijltje hebben gehakt. Ik neem dan ook uw advies ter harte, en zal proberen mij tot de feiten te beperken.

Na bijna tien dienstjaren bij de kunsthandel waar ik als leerling was begonnen, verzamelde ik langzaamaan een kring van kunstliefhebbers om mij heen. Hierdoor begon ik te dromen over een kunsthandel voor mijzelf. Ik ging op zoek naar een geschikt pand, waarbij ik begreep dat ik een handelsdiploma moest halen. Natuurlijk werd het toen alles in orde leek een probleem om het benodigde startkapitaal te verwerven.

Ik was vijfendertig jaar oud en nog steeds ongehuwd. Van tijd tot tijd ontving ik berichten hieromtrent van mijn zus en broers en ik antwoordde steevast dat ik pas een goede partij was als ik eenmaal mijn eigen zaak had. Ik vertelde daar uiteraard niet bij dat ik af en toe verder met een vrouw ging dan zij zich vanwege haar reputatie kon veroorloven, maar het liever ontliep mij voor het leven te binden.

Niet lang nadat ik begon te dromen van een zaak voor mijzelf, reageerde ik op een advertentie waarin een compagnon werd gezocht voor een kunsthandel in Bergen.

Een compagnonschap zou een stap voorwaarts betekenen in het verwezenlijken van mijn droom. Ik stelde een klein kapitaal in het vooruitzicht. Hoe ik dit kapitaal zou verwerven baarde mij weliswaar de nodige zorgen, maar ik was van mening dat er, nu de stap eenmaal was gezet, een oplossing zou komen. Deze werd mij inderdaad als het ware in de schoot geworpen, want een dag nadat ik de brief had gepost ontmoette ik mijn lieve Thera. Maar om de indruk bij u weg te nemen als zou ik berekenend te werk zijn gegaan, volsta ik ermee later op de kwestie terug te komen.

Met de meeste hoogachting,
Uw Carel Broesschaat

Kunsthandel Broesschaat
Bergen NH

Bergen, zondag 10 april 1921

Beste mr. Willem de Luyvere,

Op mijn laatste brief heb ik niets van u vernomen. Ik hoop innig dat u in goede gezondheid verkeert. Door het uitblijven van berichten uwerzijds, werd ik vanmorgen onwel bij de gedachte dat u door mijn laatste brief een verkeerde indruk heeft gekregen omtrent mijn motieven. Daarom wil ik thans in haast eventuele verdenkingen wegnemen. U moet namelijk weten dat het toeval mij eerder heeft geholpen dan vooropgezet handelen, met het oogmerk er voordeel uit te behalen.

Een dag na het verzenden van de brief aan de kunsthandel te Bergen werd mij verzocht een bezoek te brengen aan een villa bij Haarlem. Via bevriende contacten in de kunstwereld werd mij gevraagd een advies uit te brengen over de aanschaf van een kostbaar paneel. Het was eervol dat er speciaal naar mij was gevraagd, en aldus reisde ik af naar Haarlem.

Daar aangekomen met de trein, liep ik te voet naar de villa, waar ik door de heer des huizes met alle egards werd ontvangen. Ik begreep al snel dat het ging om een persoon die beroepshalve gewend was om gehoorzaamd te worden, want hij straalde het natuurlijke gezag uit van een superieur, die anderen voor zich kan laten rennen. Later begreep ik dat hij enige tijd te Batavia had gediend en dat hij zijn geld goed had belegd. We spraken af dat ik namens hem op de veiling zou bieden, waarbij ik een goed percentage bedong.

Nadat ik goede zaken had gedaan, werd ik voor het diner uitgenodigd. Terwijl ik genoot van een aperitief, betrad een rondborstig meisje van ongeveer zeventien jaar oud de salon. Door mijn gastheer werd ze aan mij voorgesteld als zijn dierbare enige dochter Thera. We gaven elkaar een koele hand. Ik moet u namelijk bekennen dat ik in het geheel geen aandrang voelde nader kennis met haar te maken. Ze was gezet voor haar leeftijd en ze had iets stijfs en kouds in haar voorkomen. Toen ik even later kennismaakte met haar moeder, begreep ik van wie ze haar omvang had geërfd. Maar in tegenstelling tot de dochter, betoonde de moeder voortdurend behoefte om over van alles en nog wat uit te weiden. Dit bracht haar echtgenoot regelmatig op de rand van verlies van zelfbeheersing. Het leek mij geen gelukkig huwelijk, waar hun enige dochter Thera de vrucht van was.

Ondanks de gespannen sfeer rond de eettafel was het diner aangenaam. Het hielp natuurlijk dat ik de heer des huizes goede zaken in het vooruitzicht had gesteld. Tussen Thera en mij werden er weliswaar blikken gewisseld, maar ze moedigde mij zeker niet aan. Groot was mijn verbazing dan ook dat ze mij bij het afscheid verzocht een paar dagen later terug te keren, omdat ze haar achttiende verjaardag met een soiree zou vieren.

Toen ik huiswaarts keerde vroeg ik mij af of ik hierin voortekenen moest zien. Ik moet u dan ook bekennen dat ik die nacht onrustig sliep. Een paar dagen later reisde ik opnieuw naar Haarlem voor de soiree van Thera. Van mijn spaargeld kocht ik een zilveren broche die ver boven mijn budget ging, maar met een geschenk dat indruk zou maken wilde ik compenseren dat ik niet al teveel voor haar voelde, een gegeven dat mij later op zou breken.

Nu vraagt u zich misschien af of Thera verliefd op mij was. Ik kan hier met een volmondig ja op antwoorden. Na de soiree schreef ze mij namelijk tedere brieven, waarna het weer tot een afspraak kwam. Ik werd een graag geziene gast en niet lang na de soiree vroeg ik om de hand van Thera en verloofden wij ons.

Ik hoop dat ik u heb kunnen overtuigen van mijn goede bedoelingen. Het is namelijk meer een kwestie geweest van een goedgezind lot. Want in het besef dat mijn afkomst te nederig was om Thera de luxe te bieden die ze gewend was, bezorgde mijn aanstaande schoonvader mij het kapitaal om in de kunsthandel te gaan. Of ik gelukkig ben geworden met Thera is een kwestie van een andere orde. Natuurlijk is haar plotselinge, tragische overlijden een verlies dat men moeilijk te boven komt.

Met toegenegen groet, uw
Carel Broesschaat

Bergen, dinsdag 10 mei 1921

Geachte mr. Willem de Luyvere,

Ik ben u zeer erkentelijk voor uw schrijven dat ik gistermiddag ontving en haast mij u te antwoorden. Uiteraard heb ook ik met de gedachte gespeeld elkaar te ontmoeten. Schroom u met een voorstel daartoe te overvallen weerhield mij echter. Ik kan het vinden in uw voorstel een afspraak te maken in de stationsrestauratie 1^{e} klasse te Haarlem.

Zoals u stelt is er inderdaad sprake van een zekere uitweiding in mijn brieven, hetgeen wellicht overbodig wordt wanneer we elkaar spreken en ik tot de kern van de zaak kan komen. Maar tot mijn spijt moet ik u meedelen dat ik kort na mijn laatste brief het bed heb moeten houden. Het oprakelen van de geschiedenis met Thera heeft teveel van mijn zenuwen gevergd. Vergun mij onze afspraak nog even uit te stellen. Ik beloof u dat ik mijn schrijven zal beperken tot zaken die slechts de kwestie dienen.

Uw toegenegen Carel Broesschaat

Bergen, zondag 15 mei 1921

Beste Wim,

Dank voor uw snelle antwoord op mijn schrijven van dinsdag jongstleden. Ik begrijp dat u zich afvraagt waarom ik juist u in vertrouwen neem. U wilt natuurlijk als man van de feiten tot de kern van de zaak doordringen. De kwestie is dat ik hieromtrent in het duister tast.

Op een dag kwam ik thuis van een zakenreis naar Aken en trof ik het huis leeg op de dienstmeid na, die mij vertelde dat mijn vrouw alleen was uitgegaan. Mijn dochter bleek uit logeren bij bekenden niet ver bij ons vandaan op de laan. Dit verontrustte mij omdat we niet intiem met deze mensen verkeerden. Ze waren middenstanders die hun kinderen langs de deuren lieten gaan om bestellingen te bezorgen.

Ontregeld gaf ik de dienstmeid belet en ging ik naar mijn werkkamer om de zaken op een rij te zetten. Juist toen ik boven achter mijn bureau zat, werd ik opgeschrikt door de schel, waarop ik weer naar beneden rende. In de hal trof ik Thera in een verwarde staat. Haar middagtoilet was door modder besmeurd, waardoor het eruitzag alsof ze was aangerand. Omdat ik geen zinnig woord uit haar kreeg, besloot ik haar pas te ondervragen wanneer ze door de nodige nachtrust gekalmeerd zou zijn. Ik bracht haar naar boven en hielp haar zich te ontkleden. Toen ik haar slaapkamer verliet kon ik niet vermoeden dat dit de laatste keer was dat ik haar levend zou zien.

De volgende ochtend verscheen ze niet aan het ontbijt. Toen ik een kijkje ging nemen lag ze levenloos in bed en de dokter die ik er meteen bij liet komen stond voor een raadsel, omdat mijn lieve Thera een vrouw in de bloei van haar leven was. Zo is het geschied en ik vertel u wat ik zelf nog weet. Regelmatig nadien piekerde ik over waar ze toch die fatale, laatste dag geweest kon zijn, totdat ik berusting vond. Hoe de zaken zich daarna hebben ontvouwd schreef ik u eerder. Met de meeste hoogachting,

Uw Carel Broesschaat

Kunsthandel Broesschaat
Bergen NH

Bergen, donderdag 16 juni 1921

Geachte mr. Willem de Luyvere,

Het spijt mij dat u enige tijd niets van mij heeft vernomen. Ik ben al een poosje aan het kwakkelen vanwege spit, waar ik van tijd tot tijd last van heb. Mijn geest is wankel door het oprakelen van de hele kwestie. Natuurlijk is het onrechtvaardig dat men mijn dochter heeft ontnomen. Maar ik had geen verweer. Omdat ik van nature een vreesachtig karakter heb, alsook de bestaande slechte verhoudingen met mijn schoonouders, heb ik slechts gedacht mijn leven te moeten hernemen, waartoe ik de zaak verder moest laten rusten.

U vraagt zich af of ik niet mijn dochter zou kunnen ondervragen over die bewuste fatale dag, waarop mijn vrouw ontdaan huiswaarts keerde. Mijn dochter heeft zich van mij afgekeerd, waardoor zulks onmogelijk is. Vergeef mij dat ik het voorlopig hierbij laat. Het grijpt mij te zeer aan.

Uw toegenegen vriend,
Carel Broesschaat

Bergen, zondag 19 juni 1921

Beste Wim,

Mijn schrijven van donderdag heeft mij opnieuw in een grote staat van opwinding gebracht en dit dusdanig dat ik nauwelijks sliep en de hele kwestie opnieuw aan mij voorbij trok. Vergun mij daarom een uiteenzetting van de voorgeschiedenis van een en ander. Want ik voel mij gesterkt doordat ik in u een vriend heb gevonden. Over enige tijd hoop ik u te ontmoeten, zodat ik sommige zaken mondeling kan toelichten.

U moet niet denken dat alles tussen Thera en mij meteen gladjes verliep. Mijn aanstaande schoonvader wilde namelijk dat ik het bewijs leverde op eigen benen te kunnen staan. Door de eis van mijn schoonvader Thera in de toekomst uit eigen middelen te kunnen onderhouden, werd het huwelijk voorlopig uitgesteld. Ik raakte mede hierdoor afhankelijk van de goedgezindheid van geldschieters, zoals vroeger mijn zus en broers in die hoedanigheid voor mij optraden. Bijna twee jaar pendelde ik op en neer tussen Bergen waar de kunsthandel was gevestigd en Haarlem, het huis van mijn lieve verloofde, in afwachting van het moment waarop ik een slag zou kunnen slaan. Ik moet u bekennen dat mijn gevoelens voortdurend laveerden tussen hoop en vrees. Dit dusdanig, dat ik op den duur niet goed meer uit elkaar wist te houden of het mijn begeerte naar Thera was wat mij voortdreef, of de wens een machtig man van aanzien te worden.

Met Thera maakte ik op zondagen lange wandelingen, tijdens welke ze mij scherp over mijn vorderingen ondervroeg. Ze wond er geen doekjes om dat ze alleen met mij zou trouwen als ik haar een leven in welstand kon bieden. Ook legden we bezoekjes af. Ze gaf mij te verstaan dat ik het niet moest wagen de verloving af te blazen, omdat daarmee haar eer en goede naam in gevaar zouden komen.

Al met al zat ik dus in een lastige situatie, temeer daar het vuur waarmee ik om haar hand had gevraagd langzaam begon te doven. Ik begreep dat er snel iets moest gebeuren, teneinde de door mij zo fel begeerde positie te verwerven, en mij van Thera en haar ouders verzekerd te weten.

Er deed zich onverwachts een buitenkans voor, juist toen ik de wanhoop nabij was. Mijn compagnon werd roekeloos en zodra hij bemerkte dat de zaak onder mijn beheer floreerde, begon hij gokschulden te maken. Op een avond had hij tot in de vroege uurtjes aan de speeltafel gezeten en er een fortuin doorheen gejaagd. Toen ten volle tot hem doordrong wat er was gebeurd, verdronk hij zichzelf niet ver hier vandaan in zee. Afgezien van de ontreddering, viel de kunsthandel aan mij toe, omdat hij had bedongen dat de zaak bij overlijden aan de een, of aan de ander zou toevallen. Ik moet vermelden dat dit vooral berekenend was van hem, omdat hij door deze bepaling mijn kapitaal als het ware verbond aan het zijne, niet vermoedend dat dit in mijn voordeel uit zou pakken.

Een half jaar later trad ik in het huwelijk met Thera en vestigden wij ons in dit huis te Bergen, dat mijn schoonvader voor ons kocht. U vraagt zich misschien af of ik daarmee gelukkig werd, en dit is een vraag die ik mijzelf ook regelmatig stelde. Maar ik zou u vervelen als ik hier een exposé aan zou wijden. Daarom volsta ik met de meeste hoogachting,

Uw Carel Broesschaat

Vrijdag 28 juni 1921

Beste Wim,

In uw schrijven van gisteren stelt u vragen die ik naar eer en geweten zal proberen te beantwoorden. Maar allereerst haast ik mij u te melden dat een ontmoeting te Haarlem op 10 juli mij gelegen komt.

Het spijt mij oprecht dat mijn schriftelijke confidenties veel inspanning van u vergen. Besef dat het oprakelen van de hele zaak het drievoudige aan inspanning van mij vergt, reden waarom ik soms afdwaal. Een ontmoeting zal hopelijk de nodige opheldering verschaffen. Ik zal u aldus rond 11.00 uur in de ochtend, in de stationsrestauratie eerste klasse te Haarlem, de hand kunnen drukken.

U vraagt of Thera misschien ziekelijk was, waardoor zij zo plotseling overleed. Ja en nee, moet ik hierop antwoorden. Koopziek was ze in elk geval wel, waar ik al snel na ons huwelijk achterkwam. Als enige dochter van welgestelde ouders had ze altijd maar een kik hoeven geven, of het stond voor haar klaar. Ze kon toegeven aan iedere gril of luim. Een houding die ze ook na haar huwelijk voortzette, waarbij ze mij op den duur mijn nederige afkomst begon in te peperen. Dit werd naarmate onze huwelijksjaren vorderden een stilzwijgend verwijt, totdat we hierin min of meer op voet van oorlog leefden. Maar ik loop op de zaken vooruit, u zult later begrijpen waarom.

Na vijf huwelijksjaren was Thera eindelijk zwanger. Het vooruitzicht op een kleintje stemde haar mild, waardoor ik begon te denken dat Thera toch geen slechte keus was geweest om mijn vrijheid voor op te offeren. Haar kijven en koopzieke gedrag, zo meende ik, kwamen immers door het uitblijven van een blijde verwachting.

De bevalling bracht helaas een domper en zou ons verdere huwelijksleven tekenen. De geboorte van onze dochter Ada Sophie was namelijk een pijnlijke geschiedenis, waarbij mijn lieve Thera bijna het leven verloor. Weken nadien moest ze het bed houden en ze vervreemdde dusdanig van mij, dat ze van mij eiste dat ik voortaan op zolder sliep, naast de kamer van de meid.

Het was niet alleen deze toestand die mijn zenuwen op scherp zette, maar ook het humeur van Thera, want ze kreeg zenuwtoevallen, werd opvliegend en vitte bij ieder wissewasje. Ik begon haar te ontlopen door lange zakenreizen te maken. Als ik thuis was at ik zoveel mogelijk met een smoes buiten de deur. Een en ander accepteerde ik, omdat ik gekweld werd door schuldgevoelens. Want ik meende dat ik de oorzaak was van haar lijden, aangezien de natuur mij had uitgekozen haar een dochter te schenken. U begrijpt dat ik voortaan mijn natuurlijke, mannelijke drift moest intomen, wat een uiting vond in bordeelbezoek. Het spijt mij dat deze confidenties zonder opsmuk tot u komen. Maar ik wil de zaken niet mooier voorstellen dan ze zijn, door mijzelf in deze kwestie te sparen.

U vraagt of ik werkelijk geen idee heb waar Thera op die fatale dag naartoe is gegaan en waar ze ontdaan van terugkeerde. Vergeef mij, maar zoals ik u eerder schreef heb ik vruchteloos mijn hersens afgepijnigd. Mijn dochter zou uitsluitsel kunnen geven, ware het niet dat zij niet met mij in contact wenst te treden. Ik zie uit naar onze ontmoeting, waarop we misschien tot opheldering kunnen komen. Intussen verblijf ik met de meeste hoogachting,

Geheel uw Carel Broesschaat

Dinsdag 12 juli 1921

Beste Wim,

Het spijt mij dat ik uw toorn heb opgewekt door uw bemiddeling omtrent Ada niet te willen aanvaarden. Ik acht de zaak echter dusdanig delicaat, dat ik haar niet op voorhand wil bruuskeren middels een schrijven dat van u uitgaat. Ik wens u een goed verblijf in Italië en hoop spoedig weer van u te vernemen,

Carel

Bergen, zondag 6 januari 1924

Zeer geachte mr. Willem de Luyvere,

Ik wil u vriendelijk danken voor uw alleraardigste nieuwjaarswens. Komt u nog weleens op de Handelsmaatschappij? Het heeft mij werkelijk bedroefd gestemd dat we indertijd met wrevel uiteen zijn gegaan. Ook uit mijn pen is geen inkt meer gevloeid, maar dit had te maken met de behoefte de draad van het alledaagse weer op te pakken. Kort na onze ontmoeting werd ik ernstig ziek en de arts constateerde longontsteking. Toen ik eenmaal was opgekrabbeld, kon ik mij slechts met moeite brengen tot het vervullen van de kleine, dagelijkse plichten.

Wat zal ik u verder vertellen? De jaren zijn in redelijk goede gezondheid voorbij gegaan. Natuurlijk heb ik aan u gedacht. Onze briefwisseling van indertijd gaf mij hoop, die daarna helaas weer is gedoofd vanwege de heilloze wens een en ander tot opheldering te brengen. Vindt u het daarom goed de draad weer op te pakken? Het abrupte einde van onze correspondentie heeft mij zeer bedroefd en ik kwam tot de slotsom dat een en ander door misverstanden moesten zijn ingegeven.

Als altijd uw,
Carel Broesschaat

Bergen, vrijdag 11 januari 1924

Beste Willem,

Het deed mij goed van u te vernemen dat ik de afgelopen jaren ook in uw gedachten ben geweest. U vraagt zich met verwondering af waarom ik zo afwijzend op uw voorstel reageerde, terwijl ik u immers had verzocht mij te helpen de kwestie op te lossen. Temeer daar de weg die u wilde bewandelen de meest eenvoudige was, namelijk het herstellen van het contact met Ada via uw bemiddelende rol. Ik ben uiteraard bij mijzelf te rade gegaan waarom ik uw voorstel afwees en kwam erop dat ik in wezen nog steeds rouw om de plotselinge dood van Thera. Hierdoor zou ik wensen dat Ada mij een handreiking gaf en ze mij niet als een bedelaar op haar stoep liet staan.

Vergeef mij dat ik u in een lastige positie heb gebracht. Ik heb mij gedragen als een drenkeling die om hulp roept en dan weigert de aangereikte hand te grijpen. Maar ik ben nu bereid uw aanbod tot bemiddeling te aanvaarden. Ik geef u toestemming om Ada namens mij te benaderen als dit de kwestie vooruit helpt.

Met de meeste hoogachting,
uw Carel Broesschaat

Bergen, maandag 14 januari 1924

Beste Wim,

Mijn dank voor uw kaart waarin u meldt zich alsnog voor mij in te willen spannen. Nu niet al te droevig beste vriend. Door de verkoop van mijn zaak is zelfs een bescheiden kapitaal opzij gezet voor minder fortuinlijke tijden. Ik heb leren leven met het lot dat mij helaas niet altijd gunstig gezind is geweest. Uiteraard bent u hier welkom, zodat we samen een brief kunnen opstellen. Ik vraag mij af waarom ik niet eerder op het idee ben gekomen u hier te vragen. Schrik niet, ik woon eenvoudig en leef al jaren zonder dienstmeid, omdat dit voor een man alleen maar praatjes zou geven.

Aanstaande zaterdag schikt mij goed. Na gedane zaken mag ik u misschien een maaltijd aanbieden in een van de goede restaurants hier te Bergen.

Met de meeste hoogachting,
Uw Carel Broesschaat

Bergen, vrijdag 25 januari 1924

Beste Wim,

Dank voor de conceptbrief aan Ada, waarin u een ontmoeting voorstelt met haar en haar echtgenoot. Ik heb een paar mitsen en maren die ik nader zal proberen toe te lichten.

Zoals u weet is de werkelijke doodsoorzaak van Thera nooit vastgesteld. Nu suggereert u dat Ada hier meer over weet maar zweeg, een van de redenen waarom ik van nalatigheid beschuldigd kon worden en daarmee Thera de dood in zou hebben gejaagd.

Ik wil de hele kwestie niet meteen weer oprakelen. Het lijkt mij voldoende een ontmoeting te arrangeren, waarbij u vermeldt dat ik u als raadgever in de arm heb genomen omdat ik ten einde raad ben.

Welgemeende groeten,
Carel

Kunsthandel Broesschaat
Bergen NH

Bergen, zaterdag 16 februari 1924

Geachte mr. Willem de Luyvere,

Geschokt laat ik u weten dat u mijn vertrouwen ernstig heeft geschonden, nu blijkt dat u politiedossiers heeft geraadpleegd. Ons contact lag in de privésfeer. Uw vragen heb ik te goeder trouw beantwoord, waarbij ik uw bemiddeling heb aanvaard. Ik kan tot geen andere slotsom komen dan dat u mij in de val heeft gelokt door confidenties aan mij te ontlokken. De brief aan Ada die via uw bemiddeling tot stand is gekomen dient u op heden te vernietigen en beschouw ik als niet verzonden.

Carel Broesschaat

Kunsthandel Broesschaat
Bergen NH

Bergen, zondag 24 februari 1924

Geachte mr. Willem de Luyvere,

Zeer tegen mijn zin reageer ik op uw schrijven van vrijdag. U heeft mij in een positie gebracht waarin ik het tij slechts in mijn voordeel kan keren als ik uw vragen beantwoord. Welke informatie heeft u op een dusdanig dwaalspoor gebracht, dat u mij verdenkt mijn vrouw te hebben vermoord? Mijn dochter heeft uit haar duim gezogen dat ik haar op die bewuste dag heb weggestuurd om mijn gang te kunnen gaan. De rillingen liepen mij over de rug toen ik deze suggestie las, alsof ik voor de gapende afgrond stond die eens mijn graf zal zijn. Ik herhaal: het verhaal van Ada is een verzinsel dat is ontsproten uit geesten die nooit anders hebben gedaan dan mij willen ondermijnen, namelijk mijn schoonouders.

U vraagt hoe ik een briefje kan verklaren, waarin Thera haar dochter schrijft plotseling weggeroepen te zijn in verband met een kwestie die een familielid van mij wil ophelderen. Maar het is niet aan mij dit op te helderen, want mij was hier niets van bekend. In u heb ik iemand getroffen die informatie aan mij ontlokt, om er uw voordeel mee te doen.

Carel Broesschaat

Kunsthandel Broesschaat
Bergen NH

Bergen, zondag 14 september 1924

Beste mr. Willem de Luyvere,

Waar heb ik het aan verdiend dat u mij de som van tweehonderd en vijftig gulden vraagt? Ik heb een grote vergissing begaan door u in vertrouwen te nemen.

U beschuldigt mij onomwonden van de dood van Thera. In uw versie zouden mijn schoonouders mij van vervolging hebben gevrijwaard om mijn dochter het leed te besparen van een vader in het gevang. De kwade genius die u deze kletskoek heeft ingefluisterd kan alleen maar mijn dochter zelf zijn geweest. Uiteraard ga ik niet in op uw verzoek en wens ik van verder contact verschoond te blijven.

Carel Broesschaat

Bergen, zaterdag 4 oktober 1924

Geachte heer de Luyvere,

In uw schrijven van vrijdag verdubbelt u het bedrag dat u van mij wil vorderen, op straffe van aangifte bij de politie. Ga uw gang.

U stelt dat het bedrag slechts een geringe schadevergoeding behelst voor het leed dat ik mijn dochter heb toegebracht. Wat heb ik haar misdaan dat ze zich zó tegen mij heeft gekeerd? En wat heb ik u misdaan? Ik beraad mij op verdere stappen.

Carel Broesschaat

Bergen, zaterdag 10 januari 1925

Geachte heer de Luyvere,

Dank voor uw schrijven van gisteren. Komende vrijdag, op het door u voorgestelde tijdstip, zal ik klaar zijn om u samen met Ada te ontvangen. Ik neem tevens aan dat u er verder van afziet mij lastig te vallen met geldbedragen, die u van mij wenst in ruil voor uw bemiddeling.

Hoogachtend,
Carel Broesschaat

Bergen, zaterdag 17 januari 1925

Geachte heer de Luyvere,

Het was gruwelijk mij te confronteren met wartaal van een afgedankte dienstmeid, die klaarwakker zou zijn geschrokken door een enorme dreun, alsof er iemand uit bed op de grond viel. Ze zou gezien hebben dat ik Thera die fatale nacht in haar slaapkamer bezocht. Waar haalt de vrouw de kletskoek vandaan? Thera is in bed gestorven, niet op de grond naast haar bed. Zoals ik u jaren geleden vertelde, toen ik u nog argeloos in vertrouwen nam, was ik nadat ze overstuur thuiskwam in haar slaapkamer om haar te kalmeren en in bed te stoppen.

Chloraal heeft een kalmerende werking. Thera gebruikte het middel op doktersvoorschrift om haar driftaanvallen te beteugelen. Daar is dus niets bijzonders aan. Ze kon sterk impulsief reageren en had daar achteraf zelf het meeste last van. In mijn bijzijn heeft ze een paar druppels genomen. Daarna is het flesje niet meer binnen haar bereik geweest, want ik heb het zelf teruggezet in de badkamer.

Denkt u dat ik ook niet zelf alle mogelijkheden ben nagegaan? Van het weerzien met mijn dochter heeft u een nachtmerrie gemaakt en door u leef ik in een hel van opgerakelde oude zaken en beschuldigingen.

Carel Broesschaat

Bergen, zaterdag 24 januari 1925

Geachte mijnheer,

Nee, nee, en nog eens nee! Met bijgaande cheque, goed voor contante uitbetaling van vijfhonderd gulden, beschouw ik de zaak verder als afgedaan. Uw bemoeienis heeft een wissel getrokken op mijn gezondheid. In uw schrijven zie ik nog slechts bittere haat. Het is helaas te laat om u honend te vragen waar u zich mee bemoeit, dan slechts om chantabele gegevens te verzamelen. Meer kan ik er niet in zien.

Ik ben ziek van spijt u in vertrouwen te hebben genomen. Nu is het weer Wolfskers én chloraal waarmee ik Thera zou hebben vergiftigd. Mijnheer, de fantasie van dat wijf, die ook Thera niet kon luchten toen ze nog leefde omdat ze losse handjes had en maar niet aan de man kon komen, reikt verder dan goed voor haar is. Ik ontraad u met klem u verder met de zaak bezig te houden.

Carel Broesschaat

Bergen, donderdag 5 februari 1925

Geachte mijnheer,

Bijgaand een cheque met de door u gevraagde som van driehonderd gulden om mij te vrijwaren van heropening van de zaak voor het gerecht. Mijn gezondheid zou het niet toelaten. In de hoop van verdere berichten verschoond te blijven,

Carel Broesschaat

Bergen, maandag 6 april 1925

Geachte mijnheer,

In gemoede vraag ik mij af van wie het verhaal komt dat ik mijn familie zou hebben bezocht om te klagen, geld te vragen en advies in te winnen. De brief die daarover zou bestaan moet deel uitmaken van een sinister complot! Het tegendeel is het geval. En nu het zover is gekomen dat u mij belaagt, moet de waarheid maar eens onopgesmukt boven tafel komen. Er rest mij immers niets anders.

Ik heb indertijd geld van mijn schoonouders beleend bij mijn familie! Natuurlijk heeft dit mij in de knoei gebracht, want Thera wist hier niets van. Maar eerst moet u het volgende weten. Eerder vertelde ik u dat de kunsthandel in mijn bezit kwam door wanbeheer van mijn compagnon, die gokschulden maakte en zich daarna verdronk. Mijn schoonouders achtten mij daarna solvabel genoeg om met Thera in het huwelijk te treden.

Ons huis in Bergen was voor mijn schoonvader een goede belegging. Het kapitaal dat ik als bruidsschat ontving, zou ik terugbetalen als de zaak eenmaal liep. Aflossingstermijnen werden vastgesteld op twee jaar nadat de kunsthandel onder mijn beheer was gekomen. U begrijpt dat mijn schoonvader een flinke vinger in de pap had voor wat betreft mijn reilen en zeilen met Thera én als aandeelhouder in mijn bedrijf. Want door mijn huwelijk met Thera werd ik in wezen door mijn schoonvader in een wurggreep gehouden. Thera vond alles best, als ze haar leven maar kon voortzetten op de manier zoals ze het van huis uit gewend was. Dat ik mijn lot als het ware aan haar vader uit handen gaf, deerde haar matig.

Daardoor begon ik ontsnappingswegen te zoeken. Ik nam contact op met mijn familie om mij het kapitaal te lenen, dat ik mijn schoonvader verschuldigd was. Aldus maakte ik een reis naar het zuiden onder het voorwendsel dat ik mijn familie dusdanig lang niet had gezien, dat ik van hen vervreemd was. Mijn oudste broer ontving mij hartelijk, maar toen ik mijn plan ontvouwde werd ik de deur uitgewerkt. Bij mijn andere twee broers verging het mij hetzelfde, hoezeer ik ook een beroep deed op familiebanden. Mij werd te verstaan gegeven dat ik mijn status aan hen te danken had en dat ik nadien nooit meer iets van mij had laten horen. Om van dit onrechtvaardige verwijt te bekomen, vroeg ik belet bij mijn zuster, die nu mijn enige hoop was.

Meteen nadat we elkaar in de armen hadden gesloten barstte ze in snikken uit, want haar echtgenoot was een week voor mijn komst overleden aan een beroerte. Met vijf kinderen stond ze er nu alleen voor. Toen ze mij verzocht haar te helpen, was het te laat om een uitvlucht te bedenken. Ik schreef meteen een cheque uit die haar in staat stelde om het een poosje uit te houden, totdat ze een oplossing had gevonden.

Met een zwaar gemoed keerde ik huiswaarts. Want ik had mij in de nesten gewerkt door mijn zuster het bedrag te schenken, dat ik als maandelijkse termijn verschuldigd was aan mijn schoonvader. Ik vreesde dat mijn zuster opnieuw om geld zou vragen, temeer daar ze mij vertelde dat de welstand van mijn broers op leningen was gebaseerd. Mijn familie bezat kortom net als ik niets.

Thuisgekomen van een missie zonder resultaat, voegde ik mij weer naar de luimen van Thera. Er kwam een opleving in ons huwelijk toen Ada werd geboren, maar de onderlinge verhoudingen verslechterden toen ik bij mijn schoonvader uitstel van betaling bleef verzoeken.

Dan nu de kwestie omtrent de Wolfskers. De struik staat sinds heugenis achterin de tuin voor medicinale doeleinden. Af en toe had Thera ernstige zenuwtoevallen, die met een uiterst minieme hoeveelheid Wolfskers tot bedaren werden gebracht. Het zal een, of twee keer zijn voorgevallen dat ik de meid verzocht bessen te plukken voor een paar druppels in de thee van Thera. Dat is het hele verhaal. Toen ik haar op die bewuste nacht verliet, wees niets erop dat ze een overdosis Wolfskers tot zich had genomen. Ik hoop dat ik u voldoende heb geïnformeerd en dat u mij verder in vrede laat.

Carel Broesschaat

Bergen, vrijdag 12 juni 1925

Geachte mijnheer,

Uw brief verraste mij hedenochtend vanwege de brutaliteit waarmee u mij benadert na alle delicate, vertrouwelijke informatie. U raakt een kwetsbaar mens keer op keer vol in het hart. Heeft mijn laatste brief u niet voldoende overtuigd van mijn onschuld? Mijnheer, ik heb mijn verstand toch niet dusdanig verloren dat ik u in vertrouwen neem, om mijzelf als het ware op te knopen? Pleit mijn verzoek aan u mij te helpen niet voldoende voor mijn onschuld? Aangezien u de zaak aan justitie heeft overhandigd, rest mij weinig anders dan mij te beraden en af te wachten. Ik wens op geen enkele wijze met u in contact te treden.

Carel Broesschaat

Bergen, zaterdag 24 oktober 1925

Geachte mijnheer,

Omdat mij is gebleken dat u van al mijn brieven een afschrift heeft gemaakt en deze aan justitie overhandigde, heb ik besloten mijn eigen verdediging te voeren. Er rest mij immers niets anders. U denkt toch niet dat ik om bijstand verzoek van degene die mijn vertrouwen heeft geschonden? Kennelijk bent u niet doordrongen van de ernst van uw handelen! Ik wil de hoop uitspreken dat ik u over twee weken op gepaste afstand zal kunnen begroeten.

Carel Broesschaat

Bergen, woensdag 2 december 1925

Beste Willem de Luyvere,

Voordat ik morgen word opgehaald om mijn straf uit te zitten in Veenhuizen, wil ik mij in een laatste woord tot u richten. Ik ben een wanhopige man. Alles heb ik verloren! Ada heeft mij moedwillig in het onheil gestort omdat ze het op deze villa heeft voorzien. Nu zult u willen beweren dat ik in de war ben, zoals u in de rechtszaal deed. Mijn huidige toestand is het gevolg van een complot, waar u een kwalijke rol in heeft gespeeld. U heeft immers mijn confidenties doorgespeeld aan justitie als die van een doortrapt man.

Mijn oudste broer deed het voorkomen alsof ik zijn hulp had ingeroepen om Thera uit de weg te ruimen. Hij zou op de bewuste dag een afspraak met haar hebben gemaakt, onder het voorwendsel dat hij een familiekwestie te bespreken had. Er zouden tussen haar en mij vanwege mijn schulden verwijten zijn gevallen, waarna ik haar met Wolfskers de dood in zou hebben gejaagd.

De arts die als getuige-deskundige werd opgetrommeld leek mij op uw hand, niet op de mijne. Was hij er bovendien bij toen Thera stierf? Hij baseerde zijn oordeel op de gammele getuigenverklaring van de meid die toen bij ons in huis was. Ze zou mij in de tuin hebben zien staan, gebogen over de struik. Ook zou ze gezien hebben dat ik Thera die nacht een tweede keer bezocht.

Het is waar dat Thera en ik ruzie hadden toen ze op die fatale dag thuiskwam. Maar u had moeten zien hoe ze eruit zag! Er kwam toen al geen zinnig woord meer uit haar! De getuigenis van mijn broer is op leugens gebaseerd. Ik kan op geen andere gedachte komen, dan dat hij haar tijdens hun ontmoeting op de bewuste dag een oneerbaar voorstel heeft gedaan.

Nu is alles verloren. Ik zal boete doen voor iets wat ik niet op mijn geweten heb. Ik zal lijden om harentwille, om de vroege dood van Thera. Bespreek wat u goeddunkt met Ada en via haar hoop ik van tijd tot tijd van u te vernemen.

Carel Broesschaat

Veenhuizen, zaterdag 12 december 1927

Beste Willem,

Bij uw laatste bezoek vergat ik om tabak te vragen. Ik wil u verzoeken dit via mijn dochter te laten bezorgen. Na ons laatste onderhoud wil ik beklemtonen dat Thera onteerd was. Bezoedeld! Mijn oudste broer moet haar onder valse voorwendselen hebben meegelokt! Ik werd niet gedreven door haat, maar door mededogen. U zou in mijn positie hetzelfde hebben gedaan. Ik heb gehandeld uit noodweer. Het is een grove leugen dat ik met mijn broer onder een hoedje zou hebben gespeeld. Het briefje waaruit dit zou blijken is opgesteld door lieden die mij kwaad toewensen. Ik hoop dat u tot inkeer komt en de dossiers van deze grove rechterlijke dwaling laat heropenen.

Hoogachtend,
Carel Broesschaat

Bergen, donderdag 24 december 1927

Beste mr. Willem de Luyvere,

Momenteel ben ik verstoken van ieder menselijk contact, op een paar winkeliers na, die mij liever zien gaan dan komen. Ik ben de paria van Bergen en word met de nek aangekeken. De twee jaar tuchthuis hebben mijn gezondheid en reputatie verwoest. Het is een geluk dat ik in dit huis terug kon keren, omdat het in uw eigendom is geraakt. Heeft u nu uw zin? Ik sta bij u onder curatele, omdat u voor mij borg heeft gestaan, met dit huis als onderpand.

Het is kerstmis, en in het hele dorp zijn de huizen gehuld in kaarslicht, met voorbereidingen die in volle gang zijn. Ada zal rond de dis zitten met haar echtgenoot, die zich grootmoedig heeft betoond door het huis aan u over te dragen, opdat ik vrij zou komen. Maar ik ben afgesneden van mijn kleinkinderen en van alles wat mij nog in het leven rest.

Mijn vrijheid heeft een hoge prijs en onwillekeurig keren mijn gedachten terug naar tijden waarin ik meende in u een vriend te hebben gevonden. Wat kan een mens zich vergissen! U moet beseffen dat Thera niet meer wilde leven. Ze was onteerd. Ik heb haar slechts willen kalmeren. Ze zou door verstikking zijn gestorven, veroorzaakt door een onbekende vergiftiging. In alle oprechtheid, van man tot man, wil ik u vragen, al was dit zo, heb ik dan niet uit barmhartigheid gehandeld?

Met mijn laatste krachten richt ik mij tot u met een verzoek. Als ik straks een weinig heb gegeten zal ik een ommetje maken en deze brief posten, met daarin een cheque van tweeduizend gulden. Daarna zal ik mij hier boven te bed leggen, om mijn lot aan dat van Thera te verbinden en niet meer wakker te worden. Zorg voor Ada als de vader die ik nooit voor haar heb kunnen zijn. Geef mij een eenvoudige rustplaats hier te Bergen. Het huis is voor u, zoals u zich dit heeft gewenst.

Rest mij u te groeten in de wetenschap dat uiteindelijk God voor allen recht zal spreken en het niet aan ons is om te oordelen over goed en kwaad.

Vaarwel,
uw Carel Broesschaat

Masja

Proloog

Veel in het leven begint met een klein, schijnbaar onbeduidend voorval waar een keuze uit voortvloeit, die aanvankelijk ook van weinig betekenis lijkt. Zo'n ogenschijnlijk terloopse keuze blijkt soms later van beslissende invloed te zijn geweest op een levensloop.

Zo is het mij overkomen met mijn bemoeienis met Masja, die op jeugdige leeftijd onder tragische levensomstandigheden overleed. Deze gebeurtenis in mijn leven had verstrekkende gevolgen, want door Masja ben ik in de gevangenis terecht gekomen. Ik kan nog maar weinig anders dan mij mee laten voeren met de stroom van alledag, in de hoop dat mijn zaak wordt herzien.

Was het daarom een verkeerd besluit om mij te mengen in de zaak van Masja? Ik zal die vraag nooit kunnen beantwoorden. Als Masja er niet was geweest, was er misschien iets anders voorgevallen met verstrekkende gevolgen. Ik wil het levensverhaal van Masja en hoe de gebeurtenissen zich ontvouwden optekenen, omdat ik ondanks alles niet wil dat zij zomaar, anoniem, voor niets is gestorven, als een van de vele heroïnehoertjes die nu eenmaal niet voor het geluk geboren zijn. Zit er immers niet ook iets van Masja in mij? Had ik niet evengoed haar kunnen zijn? Hierin zit een gewetensvraag, want is het niet vaak puur geluk door een op het juiste moment ontspringen van de dans, dat het ons niet vergaat als Masja en mijzelf, die mijn lot als het ware aan dat van haar verbond?

1

Op een van de eerste zonnige voorjaarsdagen in maart, nu bijna vijf jaar geleden, lag er tussen de gebruikelijke post een enveloppe op mijn deurmat die mijn nieuwsgierigheid wekte. Mijn naam en adres waren geschreven in een handschrift dat ik niet kende. Er stond geen afzender op.

Hoewel ik op het punt stond om naar buiten te gaan voor een wandeling door het park, scheurde ik de enveloppe meteen open. Ik haalde er een kort briefje uit, waar toen ik het dichtgevouwen briefje opende een foto uitrolde.

'Beste lezer', las ik vluchtig. Het was geschreven in een kinderlijk handschrift op lijntjespapier. 'Dit is mijn vriendin Masja. Ze stuurde mij haar trouwfoto omdat ik haar tijdens mijn laatste reis door Oekraïne ontmoette. Ze heeft dringend geld nodig, want er zijn problemen. Nu vraag ik of iedereen die ik maar enigszins ken tien euro wil geven om Masja te helpen. Bij voorbaat dank. U dient een goede zaak.' Daarna volgde een adres en een naam. De ondertekenaar maakte zich kenbaar als 'Bart', en hij woonde in een huizenblok niet ver bij mij vandaan.

Ik schoot in de lach. Ik kende helemaal geen Bart. Laat staan een Masja in Oekraïne die geld nodig had. Als het leven zo gemakkelijk was dat je zomaar brieven naar vreemde mensen kon sturen met het verzoek geld te geven, dan waren er veel minder problemen op de wereld. Ik besloot de brief opzij te leggen en sloot de voordeur achter mij om van de zon te gaan genieten.

Nadat ik bij een bakker brood kocht en in een supermarkt wat groenten, fruit en een pak melk, schoot mij te binnen dat niet lang geleden een jongeman een kapotte cv-ketel bij mij was komen vervangen. Het was mij toen opgevallen dat hij een open, intelligent gezicht had. Ik vroeg mij af hoe deze jongen, die ik niet veel ouder dan twintig schatte, monteur van cv-ketels was geworden We raakten aan de praat en terwijl hij een ruime halve dag in mijn keuken bezig was, kwam ik veel over hem te weten.

Hij vertelde jong van school te zijn gegaan. Daarna was hij gaan reizen omdat zijn ouders met sancties dreigden als hij geen beroep wilde leren. Hij had een bus gepakt naar Krakow, en was vervolgens deels liftend en deels met de trein in Sevastopol terecht gekomen. Ik informeerde niet verder, want ik wilde niet te vertrouwelijk met hem worden. Bovendien nam ik aan dat hij daarna een vak had geleerd, anders was hij niet in mijn keuken een cv-ketel aan het installeren. Ik vertelde hem dat ik een dochter had van tien jaar oud die bij haar vader woonde en dat ik mijn geld verdiende met telefonisch enquêteren.

Zou hij zo vrij zijn geweest mij een bedelbrief te sturen? Het moest haast wel, want ik kende verder niemand die door Oekraïne had gereisd. In het park, onderweg terug naar huis, besloot ik zijn naam op te zoeken en hem 's avonds te bellen.

Die dag ging ik gewoon door met mijn werk. Ik belde de lijst af van een nieuwe opdrachtgever, met een enquête over een wasmiddel. Maar 's avonds, na het eten, zocht ik het telefoonnummer op van de Bart die mij had geschreven. Ik ontdekte dat hij bij zijn privé-adres had laten vermelden dat hij monteur was van verwarmingsinstallaties.

Nadat ik zijn telefoonnummer had gevonden, pakte ik opnieuw de brief met de trouwfoto. Deze keer tuurde ik aandachtig naar de foto. Het viel mij op dat het geen doorsnee trouwfoto was. Masja, een fragiel meisje van vermoedelijk net boven de twintig, stond zijdelings van een grenenhouten katheter in een alledaags, wit zomerjurkje met bandjes over haar verder blote schouders. Achter haar stonden haar aanstaande echtgenoot en een vrouwelijke trouwambtenaar, die een jurk droeg met uitbundige patronen, waarin de kleur rood overheerste.

De aanstaande echtgenoot van Masja was volledig in het zwart gekleed, hij droeg een zwart overhemd zonder stropdas en een zwarte broek. Het leek alsof hij op het moment waarop de foto werd genomen de trouwakte ondertekende. Zijn gezicht stond geconcentreerd en zakelijk.

Masja had lang, blond haar dat naar achteren was gekamd en met spelden in model werd gehouden. Haar smalle, tere gezicht stond ernstig. Waarschijnlijk stond ze op het punt om ook de trouwakte te ondertekenen. De trouwambtenaar keek oplettend toe. Tegelijkertijd zag ze eruit alsof ze van een bureau was geplukt en haar plicht ergens op een moment van de dag tussendoor vervulde.

Waren Masja en haar vriend naar het een of andere stadhuis gegaan om zonder veel ophef te trouwen? De witte kleding van Masja was de enige aanwijzing op de foto dat het om een huwelijk ging. Zonder de witte jurk zou het een foto van een zakelijke overeenkomst kunnen zijn, waarbij een zakenman zijn vriendinnetje of secretaresse had meegenomen, die lijdzaam afwachtte totdat de een of andere transactie voorbij was. Want de aanstaande echtgenoot van Masja stond er meer bij alsof hij een akte van eigendom ondertekende, dan dat hij zijn liefde voor Masja wettelijk wilde bekrachtigen. Masja keek gelaten en in zichzelf gekeerd, alsof ze ergens mee instemde, waar ze zich tegelijkertijd aan wilde onttrekken.

Zag ik die dingen in de foto omdat ik wist dat ze problemen had? Werd mijn blik hierdoor gestuurd? Ik nam de hoorn van het toestel en toetste het nummer van Bart.

Hij noemde kort zijn naam met de opgewekte toon die ik mij van hem herinnerde, waardoor ik meteen de vraag stelde of hij het was die mij de brief over Masja had gestuurd.

'Misschien vrijpostig, maar het is een actie', antwoordde hij. Dit nam mij voor hem in, want hij excuseerde zich min of meer. Hierdoor verdween de angst voor het ongewisse, die mij altijd bekruipt wanneer een vreemde man mij benadert. Ik informeerde naar Masja en naar de aard van haar problemen. Was haar huwelijk uitgelopen op een fiasco? Leefde ze misschien in bittere armoede? Hoe diep ging de vriendschap tussen hem en Masja? Waarom had hij een actie op touw gezet?

'Ik zal het eerlijk opbiechten', antwoordde Bart op mijn laatste vraag. 'Ik heb haar leren kennen via internet. Ze woont in Sevastopol en ze was min of meer mijn doel toen ik op reis ging. Ze is een lief, mooi meisje. Ik heb haar ontmoet en we hadden kort iets met elkaar. Ze zou hier naartoe komen, alleen hoorde ik niks. Totdat ze mij die foto stuurde en het uitmaakte.'

'Waarom zou je haar dan helpen', zei ik verbaasd. 'Als ze je laat weten dat ze is getrouwd?'

'Ik weet niet wat er aan de hand is', vervolgde hij. 'Maar het moet ernstig zijn. Anders zou ze mij niet vragen haar te helpen.'

'Wie weet belazert ze je en wil ze gewoon geld hebben', opperde ik. 'In ieder geval doe ik er niet aan mee.' Ik vertelde nog het vreemd te vinden dat hij lukraak mensen met een bedelbrief benaderde en wenste hem veel succes.

Die nacht kon ik niet in slaap komen. Ik zag steeds Masja voor mij, waar iets mee aan de hand was. Ik stapte uit bed, knipte het licht aan in de woonkamer en liep naar de eettafel, waarop ik de huwelijksfoto van Masja had laten liggen. Opnieuw tuurde ik naar het verstilde, gelaten gezicht van Masja en naar de huwelijksvoltrekking, die er kaal en armoedig uitzag. Op dat moment besloot ik dat ik haar wilde helpen. Was ik immers niet zelf gescheiden na een zich jarenlang voortslepend huwelijk? Berooid had ik op eigen kracht een leven voor mijzelf moeten opbouwen, waarbij bovendien mijn dochter van mij werd afgepakt, omdat het de vader was gelukt mij bij diverse instanties als een labiel wrak af te schilderen. Wat was ik indertijd blij als iemand, uit onwillekeurig welke hoek, begrip toonde en mij daarmee wist op te beuren.

Het was bijna twee uur 's nachts toen ik opnieuw het nummer van Bart intoetste op mijn telefoon. Nadat hij met een schorre stem zijn naam had genoemd, vertelde ik dat ik Masja wilde helpen, maar dat ik haar dan ook wilde ontmoeten.

Hij leek opeens klaarwakker en mijn hart klopte in mijn keel toen ik instemde de volgende avond naar zijn huis te komen, omdat hij mij dan meer over Masja zou vertellen.

Nadat ik het gesprek had beëindigd liep ik naar de keuken om een glas melk in te schenken. Op de een of andere manier voorvoelde ik dat ik een besluit had genomen dat mijn leven beslissend zou veranderen. Alleen kon ik op dat moment nog niet vermoeden welke wending mijn leven zou nemen.

De voordeur van het grote herenhuis sprong open en ik hoorde het geluid van een elektrische deuropener, nadat ik twee keer had aangebeld. In een fractie van een seconde vroeg ik mij af of ik op de juiste bel had gedrukt, omdat ik tussen vele naambordjes met moeite de naam van Bart kon vinden.

Even later stommelde ik twee trappen op, met trapleuningen waar de verf vanaf was gebladderd. Bovenaan de tweede trap stond Bart op mij te wachten. Ik snoof een indringende geur op van gebakken uien en verschraalde etensresten.

Nadat hij mij met een formele handdruk had begroet, ging hij mij voor naar zijn kamer. Het was een ruime, rommelig ingerichte jongenskamer, met in een hoek een koelkast en een klein aanrecht, waar een kooktoestel op stond. Hij pakte een stapel tijdschriften van een oude, versleten bank en gebaarde dat ik kon gaan zitten.

Terwijl hij naar zijn keukenhoek liep om koffie te zetten, verontschuldigde hij zich voor de eenvoudige omstandigheden waarin hij leefde. Ik keek om mij heen en antwoordde dat ik het wel mee vond vallen, omdat de kamer zo ruim was. Behalve een tweepersoonsbed, met daarop een felgroene, katoenen foulard en bijpassende kussens, stonden er in de kamer een bureau, met daarop een computer, een televisie en een kleine eettafel met twee stoelen. Aan de muur hingen posters met werk van Andy Warhol.

De kamer was weliswaar rommelig, maar het was er niet ongezellig. Misschien juist omdat hij er ook kookte. Ik zag dat hij een goede smaak had. Mijn eerste indruk van hem was juist geweest en hij had niet voor niets mijn nieuwsgierigheid geprikkeld. Hij was slim, en op de een of andere manier in het verkeerde beroep terecht gekomen. Ik bedacht dat hij nog erg jong was. Net als Masja kon zijn toekomst nog alle kanten op.

'Sorry dat ik gisteren zo laat nog belde', zei ik toen hij een beker koffie in mijn handen drukte. 'Op de een of andere manier voelde ik mij plotseling schuldig.'

'Geeft niks', antwoordde hij. 'Ik kon toch niet slapen. Je had gelijk. Het is een stomme actie. Mijn baas zal er ook niet blij mee zijn.' Hij pakte zijn beker koffie van het aanrecht en zette de beker op het bureau naast zijn computer.

'Dit is Masja', zei hij nadat hij was gaan zitten. Ik veerde op van de bank en ging naast hem staan. Op het scherm zag ik een foto van Masja in betere tijden. In een fleurige zomerjurk stond ze lachend op blote voeten in het gras van een park. Haar zomersandaaltjes hield ze losjes in een hand.

Bart klikte verder en er verscheen nog een foto van Masja, deze keer dik ingepakt in een grijze, wollen winterjas. Ze had haar haren naar achteren opgestoken en ze keek ernstig.

'Twee Masja's', mompelde ik. 'Een vrolijke Masja in de zomer en een ernstige Masja in de winter.'

'Deze foto nam ik bij ons afscheid', antwoordde Bart. 'We waren verdrietig.'

'Ze lijkt mij een lief meisje', zei ik terwijl ik terugliep naar de bank. 'Maar Sevastopol is ver weg. Het is begrijpelijk dat je verliefd op haar bent geworden, maar ze heeft niet op je willen wachten.'

'Nee', zuchtte Bart. Hij draaide zich naar mij toe. 'Het was ook niets geworden. Hier had ik niet voor haar kunnen zorgen.'

'Ja, maar ze is nu getrouwd', antwoordde ik. 'Het zijn jouw zorgen niet meer. Wat is er met haar aan de hand?'

'Ze schrijft dat haar vriend haar in de prostitutie heeft gedwongen', antwoordde hij kort. 'Ze zit enorm in de problemen. Als ze ermee wil kappen heeft ze geld nodig.'

'Wat vreselijk', antwoordde ik. 'Ik vond de trouwfoto al zo merkwaardig. Het ziet er niet uit als een vrolijk huwelijk.'

'Ze is bij hem weg, maar nog steeds bang voor hem', zei Bart.

'En nu ben je geld aan het inzamelen', antwoordde ik. 'Hoe weet je dat het terecht komt op de plek waarvoor het bedoeld is?'

'Dat weet ik ook niet', antwoordde Bart. 'Maar ik kan haar niet laten barsten.' Ik kreeg een ingeving die beslissende gevolgen zou hebben.

'Je zou haar hier naartoe kunnen halen', zei ik. 'Dan is ze bij die man weg en kan ze haar leven op orde brengen.'

'Ja, maar hoe zal ik dat aanpakken', antwoordde Bart. 'Ik weet niet of ze wil komen...'

'Het is de enige oplossing als je iets voor haar wil doen', vervolgde ik. 'Daar blijft ze onder invloed van die man. Je moet haar ervan overtuigen dat ze haar koffers moet pakken.'

Hij stond op vanachter zijn bureau en begon door de kamer te ijsberen.

'Ik heb al van deze en gene geld binnengekregen', zei hij. 'Niet voldoende voor een vliegticket, maar wie weet wat er nog binnenkomt.'

'We moeten opschieten', antwoordde ik. 'Ze moet liever vandaag dan morgen weg.'

'Kan ze voorlopig niet bij jou?', informeerde hij. Hij keek mij plotseling scherp aan. 'Mij vertrouwt ze misschien niet na alles wat er is gebeurd.'

Opnieuw keek ik rond in zijn kamer. Hij had gelijk. Als ze bij hem introk, zou het niets worden na alles wat ze achter de rug had. Het zou haar angstig maken, omdat ze niet bepaald de ervaring had dat ze mannen kon vertrouwen. Ze zou naast hem moeten slapen, waardoor ze een verkeerde indruk van zijn bedoelingen zou krijgen. Maar ging ik niet te ver in mijn verlangen om te helpen als ik Masja voor een onbepaalde periode bij mij liet wonen? Ik zuchtte bij het vooruitzicht een wildvreemd Russisch meisje bij mij in huis te nemen, die bovendien in moeilijkheden zat Maar ik vond dat ik niet meer terug kon, omdat het voorstel haar hier naartoe te halen van mij afkomstig was.

'Als we het samen blijven doen', antwoordde ik. 'Vooral financieel.'

Opgewonden liep Bart weer naar zijn computer.

'We kunnen haar nu een email sturen', zei hij. 'Ze gaat iedere dag naar een internetgelegenheid.'

'Wie weet met wie ze nog meer chat', zei ik in een poging om de situatie te relativeren. Ik hield nog steeds rekening met de mogelijkheid dat ze een spelletje speelde, om op een gemakkelijke manier aan geld te komen.

'Je moet haar geen geld geven, maar een vliegticket', vervolgde ik. 'Dan weten we meteen of ze de waarheid spreekt. Als ze niet komt wil ze alleen maar geld van je hebben.' Ik pakte mijn portemonnee uit mijn handtas en haalde drie briefjes van vijftig euro tevoorschijn.

'Dit is mijn bijdrage voor het vliegticket', zei ik terwijl ik opstond en het geld aan hem overhandigde. 'Je kan online een ticket voor haar boeken. Dat kan ze printen en de zaak is geregeld. Als ze tenminste een geldig paspoort heeft.' Zwijgend pakte hij het geld van mij aan.

'En dan', zei hij.

'De rest regelen we samen', antwoordde ik. 'Ze kan voorlopig bij mij komen.' Verbeeldde ik het mij of stond hij werkelijk op het punt om in tranen uit te barsten. Hij draaide zijn hoofd van mij af en bedankte mij met een zachte, verstikte stem. 'Masja zal je eeuwig dankbaar zijn', zei hij. 'Het is een lieve meid die beter heeft verdiend.'

Voelde ik mij opgelucht toen ik weer buiten stond? Ik voelde mij vooral bezwaard, omdat ik met mijn hulpaanbod verder was gegaan dan ik kon verantwoorden. Als ze kwam, zou Masja haar intrek nemen in de kamer van mijn dochter en wie weet wat verder boven mijn hoofd hing. Ik was er niet gerust op dat Masja de waarheid sprak. Misschien had ze een verhaal verzonnen om aan de armoede te ontsnappen. Ik verdrong mijn ongerustheid over de beslissing die ik had genomen, omdat ik vond dat ik niet meer terug kon. Met deze gedachten liep ik terug naar huis. Ik kon toen niet vermoeden dat ik mij diep in de nesten zou werken en dat ik naar mijn mijn voorgevoel had moeten handelen.

2

'Ze komt!', riep Bart de volgende dag door de telefoon. 'Ik heb haar gesproken!'

'Geweldig', antwoordde ik, met nog steeds gemengde gevoelens.

'Wanneer?'

'Overmorgen.' Snel rekende ik uit dat het dan vrijdag was, de dag waarop ik mijn dochter Berthe voor het weekend zou ophalen. Ik slikte. 'Vrijdag dus', antwoordde ik om tijd te rekken. Koortsachtig dacht ik na over een goed argument waarmee ik de logeerpartij van Masja kon afzeggen. Ik kon zo snel niets vinden. Bart en ik moesten haar gastvrij ontvangen. Er zat niets anders op.

'Vanavond kom ik naar je toe', vervolgde Bart. 'We moeten een en ander regelen.'

Nadat ik de hoorn op het toestel had gelegd, bleef ik een poosje beduusd voor mij uitstaren. Dat Masja zo snel haar koffers kon pakken overrompelde mij. Ik had ergens diep van binnen gehoopt dat ze niet op het voorstel van Bart in zou zijn gegaan, omdat ze niet durfde een sprong in het ongewisse te maken. Het verbaasde mij dat haar papieren zo snel in orde waren en ze weg kon.

Even later liep ik naar boven en opende ik de slaapkamerdeur van Berthe. In de deuropening zuchtte ik. Deze kamer moest ik dus voor Masja in orde maken. Bovendien moest ik de vader van mijn dochter vragen of ik Berthe in plaats van vrijdag, zaterdag kon komen halen. Iets waar ik als een berg tegenop zag, want deze actie was niet bevorderlijk voor de toch al fragiele verstandhouding. Berthe zou ook niet blij zijn met de komst van Masja, overwoog ik. Ze was gehecht aan haar kamer in mijn huis. Daarom besloot ik de kamer zo te laten als hij was. Masja moest weten dat ze gast was.

Vervolgens liep ik naar de rommelkamer naast mijn slaapkamer, een piepklein zijkamertje waar misschien nog net een matras in paste. Jaren geleden was ik begonnen hier spullen op te tasten die ik niet weg kon gooien, zoals oud speelgoed en kleding die ik nog maar zelden droeg. Ik overwoog het kamertje leeg te ruimen voor Masja, maar zag ervan af omdat ik niet wist wat mij te wachten stond. Als ze niet lang bleef, zou alle energie voor niets zijn geweest. Berthe zou voor zo lang de logeerpartij duurde in mijn bed kunnen slapen. Na deze inspectie liep ik weer de trap af naar de woonkamer beneden. Ik besloot te wachten op wat komen ging.

Zoals ik verwachtte werd de vader van mijn dochter kwaad toen ik vertelde dat ik Berthe een dag later zou komen halen. Dom genoeg vertelde ik over Masja, waardoor hij pas echt razend werd. Hij beet mij toe dat ik mij onverantwoordelijk gedroeg en als ik te ver ging, zou ik Berthe nooit meer zien. Dit herhaalde hij een paar keer in allerlei toonsoorten, totdat ik te moe was om weerwoord te geven. Gelaten liet ik dus zijn razernij over mij heen komen. Ik beloofde dat ik Berthe zaterdag op zou komen halen en dat ik 'dat Russische meisje' hooguit een week bij mij zou laten logeren.

Nadat ik met trillende handen de hoorn op het toestel had gelegd, ging de voordeurbel over. Meteen nadat ik had opengedaan stapte Bart naar binnen.

'Je bent geweldig dat je mij helpt', zei hij met een brede grijns. Hij overhandigde mij een bos paarse chrysanten. Dit nam mij weer voor hem in, en ik vergat het dreigement dat ik even daarvoor van de vader van mijn dochter te horen had gekregen. Ik was ervan overtuigd dat de dingen zich op de een of andere manier vanzelf zouden oplossen. Bovendien vond ik nog steeds dat ik te ver was gegaan om nog terug te kunnen krabbelen.

'Ik heb Masja verteld dat ze bij jou gaat logeren', zei hij toen hij naast mij op de bank zat. Nadat ik een vliegticket had geregeld belde ze meteen op. Eerst herkende ik haar stem niet, toen begreep ik dat ze huilde.'

'Hier zullen we horen wat ze achter de rug heeft', antwoordde ik. 'Eerlijk gezegd vrees ik het ergste. Als ze in de prostitutie is beland...'

'Die vent zal wel een klootzak zijn', antwoordde Bart. 'We zullen haar een beetje oplappen.'

'Laten we zien hoe het gaat', antwoordde ik met de vader van mijn dochter in gedachten. 'Ze kan hier een poosje blijven, maar we moeten wel een oplossing bedenken.'

'Die vinden we vast', zei Bart. 'Later komt ze bij mij.' We spraken af dat we de volgende dag Masja van Schiphol zouden halen, en dat Bart zou bijdragen in de kosten voor haar verblijf in mijn huis.

Nadat Bart was weggegaan liep ik naar boven om in de badkamer mijn tanden te poetsen. Even later stapte ik in bed met een onbestemd, onrustig voorgevoel dat ik niet goed kon plaatsen. Mijn gedachten draaiden vooral rond het akelige telefoongesprek met de vader van mijn dochter. Het was niet de eerste keer dat hij dreigde en zei dat ik Berthe niet meer mocht zien. Kort na de geboorte van Berthe had ik een grote fout gemaakt door er een paar weken zomaar vandoor te gaan en de verzorging van de baby aan hem over te laten, een gebeurtenis die hij tijdens onze echtscheiding genadeloos had uitgebuit, waardoor hij Berthe toegewezen had gekregen. Hij bleef mij daarna bejegenen als iemand die verantwoordelijkheden ontliep, terwijl hijzelf degene was voor wie ik op de vlucht was gegaan. Ik voelde mij gevangen in ons huwelijk. Bij het minste of geringste ontstak hij in woede en er ging geen dag voorbij waarin hij niet van alles op mij had aan te merken. Ik was indertijd te jong om voor mijzelf op te komen, net als Masja vermoedelijk, en ik zag geen andere uitweg dan er vandoor te gaan. Was het hierdoor dat ik begaan was met Masja en haar wilde helpen? Of ging ik uit de weg dat ik veel nog niet voor mijzelf had opgelost?

Ik stond op en liep weer naar de badkamer om een glas water te halen. Ik overwoog dat Masja in Oekraïne vermoedelijk weinig kansen had. De meesten waren daar arm. Doodarm. En net als ieder meisje droomde ze natuurlijk over een toekomst. Zouden haar beide ouders nog leven? Had ze broers en zussen? Vreemd dat ik mijzelf dit niet eerder had afgevraagd. Als ze in nood verkeerde, lag het immers voor de hand dat haar ouders haar hielpen. Opnieuw had ik het gevoel dat mij niet de hele waarheid was verteld.

Met deze onrustige gedachten sliep ik tegen de ochtend in. Een paar uur later werd ik met een schrik wakker omdat we Masja van het vliegveld gingen halen. Ik kon toen nog niet vermoeden dat we een mager, spichtig meisje van het vliegveld zouden halen, dat angstig uit haar ogen keek en over haar hele lichaam trilde, totdat ze een shot heroïne kon zetten.

Waarom weet ik niet, maar nadat ik op het vliegveld was bijgekomen van de schrik omdat we een verwaarloosd en rillend scharminkel begroetten, namen we de bus naar mijn huis om pannenkoeken te bakken. Het was het eerste dat in mij opkwam toen ik haar zag. Ik wilde pannenkoeken voor haar bakken. Alsof ze een weggelopen kind was dat ik moest troosten.

Op de een of andere manier verdween mijn ongerustheid toen we gedrieën mijn huis binnenstapten. In de gang lachte Bart mij vriendelijk toe en Masja zette haar rugzak neer. Toen we naar de woonkamer liepen verscheen er ook een brede grijns op het gezicht van Masja. Bijna uitgelaten plofte ze op de bank. Ze sprak redelijk goed Engels. Tegen Bart zei ze dat ze doodop was van de reis en daarna ging ze languit op de bank liggen.

'Ze ziet er slecht uit', zei ik tegen Bart toen we in de keuken stonden.

'Dat is mij ook opgevallen', antwoordde hij. 'Ik wist dat het niet goed met haar ging, maar dat ze er zó uit zou zien...'

'Ben je blij haar weer te zien?', informeerde ik terwijl ik een pak melk uit de koelkast pakte. 'Heel blij', antwoordde Bart. 'Wat mij betreft gaat ze nooit meer weg. Ze is een lief kind.'

Toen we even later rond de tafel zaten, viel het mij op dat ze achter elkaar pannenkoeken naar binnen zat te werken. Wie weet hoe lang ze al niet normaal had gegeten.

'Was het moeilijk om weg te komen', informeerde ik terwijl ik een pannenkoek op mijn bord schoof. Ze haalde haar schouders op.

'Ik heb niemand iets verteld', zei ze met een volle mond. 'Alleen mijn vriendin Katja wist dat ik weg zou gaan. Ze heeft mij naar het vliegveld gebracht.'

Opnieuw viel het mij op hoe verwaarloosd ze eruit zag. Haar haren zaten in slordige pieken rond haar smalle gezicht en leken een maand geleden voor het laatst gewassen. Ze droeg een oude, vaal gewassen rode slobbertrui met daaronder een ultrakort rokje met een Schotse ruit, waar haar dunne benen in een zwarte panty als rietjes onderuit staken. Haar halflange, zwarte laarsjes waren bijna volledig versleten en leken haar te ruim. Ik besefte dat ze uit moest rusten en dat ze niet in de stemming was om veel te praten. Bovendien was ik een vreemde voor haar.

'Ze moet uitrusten', zei ik in het Nederlands tegen Bart. 'Ze is duidelijk oververmoeid.' Bart knikte.

'Ik ga er straks vandoor en dan kom ik tegen de avond wel weer een kijkje nemen', antwoordde hij. 'Ze moet tot rust komen.'

Hoewel ik mij op dat moment bezwaard voelde bij het vooruitzicht dat Bart steeds langs zou komen, knikte ik instemmend. We waren immers samen verantwoordelijk voor Masja.

Ik vertelde haar dat ze boven een douche kon nemen en dat ik haar naar haar kamer zou brengen. Bart pakte haar bagage en vervolgens liepen we met zijn drieën naar boven.

Op de overloop opende ik de kamerdeur van mijn dochter, met het bed dat ik de vorige avond nog had verschoond. Verstijfd bleef ze in de deuropening staan.

'Wat heeft ze', informeerde ik bij Bart. 'Ze lijkt ergens van geschrokken.' Op dat moment hoorde ik de telefoon overgaan en rende ik weer naar beneden.

Het was mijn dochter die belde. 'Morgen kom ik je ophalen', verzekerde ik haar. 'Er komt hier een meisje uit Rusland logeren. Je zal haar vast aardig vinden.' Ik beloofde dat we naar de bioscoop zouden gaan.

Terwijl ik de hoorn op het toestel legde, werd ik opeens kwaad. Het voelde alsof ik verraad pleegde aan mijn dochter. Ik liet Masja in haar bed slapen, en ze leek er niet blij mee. Als het haar niet beviel hoepelde ze maar op en ging ze alsnog naar Bart.

Toen ik weer boven stond hoorde ik de douche lopen.

'Ze staat onder de douche', zei Bart. Hij plukte kleding uit haar rugzak tevoorschijn. 'Ga jij maar iets voor jezelf doen. Ze moet gewoon bijkomen, dat is alles.'

Opgelucht omdat hij van plan leek om Masja op te vangen, liep ik weer naar beneden. Ik overwoog dat ik boodschappen zou halen als Bart weg zou zijn en Masja sliep. In een onbezonnen moment pakte ik uit een la van een kast waarin ik mijn waardevolle spullen bewaarde een reservehuissleutel, om die later aan Masja te geven. Maar wat wist ik toen van haar wat ik nu weet?

De zaterdag na de aankomst van Masja haalde ik mijn dochter op bij haar vader, die mij niet wilde spreken of zien. Voordat ik wegging had ik Masja een sleutel gegeven en toen ik terugkeerde met mijn dochter was ze niet thuis. Ongerust liep ik meteen door naar boven. Op de slaapkamer van mijn dochter lagen overal kleren verspreid van Masja, en het bed was onopgemaakt. Toen ik het raam wilde openen omdat er een muffe lucht hing, viel mijn oog op een prop aluminiumfolie naast het bed. Terwijl ik mij met een zucht bukte om het op te rapen, overwoog ik dat ze misschien nog iets had gegeten uit haar rugzak. Ook zag ik een donkere schroeivlek op het tapijt. Ze had in deze kamer gerookt en daar moest ik haar onmiddellijk op aanspreken. Maar omdat mijn dochter alle aandacht opeiste, vergat ik het voorval.

Laat die avond kwam ze eindelijk thuis. Ik informeerde waar ze was geweest en ze antwoordde dat ze bij Bart was. Hoewel ik kwaad op haar was vanwege de wanorde waarin ze alles had achtergelaten, zei ik niets en vertelde ik dat mijn dochter in mijn bed sliep. Ze knikte met een verlegen lachje en mijn boosheid verdween. Waarschijnlijk voelde ze zich wanhopig, zo plotseling in een vreemd land bij een vreemde in huis.

'Lust je thee', zei ik vriendelijk. Ze knikte. Ze was natuurlijk niet meer gewend om op regelmatige tijden te leven, overwoog ik terwijl ik naar de keuken liep om thee te zetten. Ik moest haar laten wennen aan de nieuwe situatie.

'Hier ben je veilig', zei ik toen ik even later een dampende beker thee voor haar neerzette. 'Niemand zal je hier kwaad doen. Morgen gaan we met mijn dochter wandelen in het park.' Plotseling barstte ze in tranen uit. Ik zweeg omdat ik haar niet wilde bruuskeren.

'Sorry', het moet moeilijk voor je zijn', zei ik tenslotte. 'Weten je ouders dat je hier bent?' Ik stond op en legde een hand op haar schouder.

'Niemand mag weten dat ik hier zit', antwoordde Masja. 'Het interesseerde trouwens toch niemand wat ik deed.'

'Was je verliefd toen je met je vriend trouwde', informeerde ik. 'Ik heb je trouwfoto gezien. Je zag er niet gelukkig uit.' Ze zuchtte. 'Ik ontmoette hem in een dancing en hij was lief voor mij. Hij was nachtportier van een hotel. Natuurlijk was ik verliefd. Hij was zorgzaam. De problemen begonnen nadat ik bij hem ging wonen. Ik ging een nachtleven leiden, want hij kwam altijd pas tegen de ochtend thuis. Dan hadden we tijd voor onszelf. Hij beloofde ander werk te zoeken en ik geloofde hem. Totdat hij mannen mee naar huis begon te nemen waar ik iets mee moest doen. Een paar keer liep ik weg, maar ik kon nergens naartoe.'

Ik zweeg. Veel begreep ik niet, maar ik wilde niet doorvragen omdat ik haar op haar gemak wilde stellen.

'We vinden wel een oplossing', zei ik terwijl ik opstond. Ik was moe en wilde naar bed.

Toen we even later boven stonden omhelsde ze mij plotseling. Ik drukte haar als een teer, broos vogeltje tegen mij aan.

'Dankjewel', zei ze. Ze is nog een kind, dacht ik. Ik gaf haar een knuffel en wenste haar welterusten.

De volgende ochtend werd ik laat wakker. Op de wekker naast mijn bed zag ik dat het half tien was. Beneden trof ik mijn dochter in de keuken. Ze keek kwaad toen ik informeerde naar Masja. Misschien was ze boos omdat Masja haar kamer had ingepikt. Ik besloot dat ik er samen met haar opuit zou trekken.

Tot mijn verbazing vroeg ze honderduit over Masja toen we in het park liepen. Of Rusland ver was, waarom ze bij mij logeerde en of ze altijd zou blijven. Hoewel ze boos en tegendraads was geweest toen ik haar vertelde dat Masja in haar kamer zou logeren, leek ze de logeerpartij nu spannend te vinden.

'Vind je Masja aardig', informeerde ik. Ze knikte. Uit een zak van haar blauwe manteltje haalde ze een ketting tevoorschijn van rood bloedkoraal. Ze vertelde dat ze die van Masja had gekregen. Dit stemde mij blij. Opgewekt babbelend wandelden we verder en nadat we in een snackbar hadden gepauzeerd, met voor ieder een grote ijswafel, liepen we weer terug naar huis.

Toen we thuiskwamen was alles in de woonkamer overhoop gehaald. Het was één grote bende en nadat ik de luxaflexen had geopend zag ik dat alle laden van de kast waarin ik waardevolle spullen bewaarde lukraak op de grond waren gezet. Ik rende er naartoe, want in de onderste lade bewaarde ik mijn bankpasjes en wat contant geld. Nadat ik constateerde dat alles was verdwenen, rende ik naar boven om Masja te zoeken. Ze lag aangekleed, met gesloten ogen op bed. Ik schudde haar wakker en toen ze mij met half weggedraaide pupillen aankeek, vroeg ik wat er was gebeurd. Ze maakte een afwerend gebaar en schudde haar hoofd.

'Vraag het aan Bart', mompelde ze. Daarna keerde ze zich van mij af.

Het eerste waar ik aan dacht toen ik weer beneden stond was Berthe. Ze zat midden tussen de rommel op de grond en keek mij vragend aan.

'Wat is er met Masja?', vroeg ze met een trillende stem. 'Is ze dood?'

'Masja slaapt', antwoordde ik terwijl ik mij over haar heen boog om haar tegen mij aan te drukken. 'Er is geld gestolen. Vertel het maar niet aan je vader.' Daarna liep ik naar de telefoon om mijn bankpasjes te laten blokkeren en om Bart te bellen.

'Er is iets gebeurd maar ik weet niet wat', zei ik tegen Berthe.

'Is Masja ziek', informeerde ze.

'Ik weet het niet', zuchtte ik. 'Ze heeft de hele dag op bed gelegen.' Op dat moment hoorde ik dat er aan de voordeur werd gemorreld. Ik sprong op.

'Daar zal je Bart hebben', riep ik opgelucht. Ik rende naar de gang. 'Jij blijft hier en doet even niks', riep ik nog achterom naar Berthe.

'Het spijt me', was het eerste wat Bart zei toen hij naar binnen stapte.

'Wat spijt je?', riep ik. 'Dat je er hier een zwijnenstal van hebt gemaakt en geld hebt gestolen? Masja ligt doodziek op bed. Kan je mij dat uitleggen?'

'Ze had spul nodig', antwoordde Bert kort. 'Ze is verslaafd aan heroïne. Ik heb een dealer meegenomen. Toen we niet genoeg geld hadden heeft hij de boel overhoop gehaald. Als ik er niet tussen was gesprongen had hij haar in elkaar geslagen.'

Geschokt deinsde ik achteruit. Dat was het dus. Masja was een junk.

'En nu', zei ik. 'Zo wil ik haar niet in huis hebben. Ze moet onmiddellijk vertrekken. Dit kan ik mijn dochter niet aandoen.'

'Ik neem haar mee en regel een afkickcentrum', antwoordde Bart. 'Je moet begrijpen dat ze veel heeft meegemaakt.'

'Prima', antwoordde ik kortaf. Ik stond op het punt in huilen uit te barsten. 'Dan lever je nu meteen de huissleutel in.'

Toen ik die avond laat Berthe naar huis bracht, voelde ik mij leeg en uitgeput. Masja en Bart waren nog in mijn huis om de troep op te ruimen, waarbij ik had bedongen dat ze vertrokken zouden zijn als ik weer thuiskwam. De huissleutel had Bart afgegeven. Ik hoopte vurig dat hij er geen kopieën van had laten maken en overwoog meteen, de volgende dag al, een ander slot op de voordeur te laten zetten.

Berthe was ook moe. Ze had net als ik niet gegeten, behalve een paar boterhammen met pindakaas die ik samen met een beker melk in haar handen had geduwd. Het was veel te laat geworden en waarschijnlijk had ze slecht geslapen. Ik smeekte haar nog een keer niets aan haar vader te vertellen en hoewel ze amechtig knikte, vertrouwde ik er maar half op dat ze haar belofte na zou komen. Ze was immers een kind van tien, kon ik van haar verlangen dat ze dingen voor haar vader verzweeg? Als Berthe er niet was geweest, had ik misschien de politie erbij gehaald. Nu kon ik alleen nog maar hopen op een goede afloop.

'Gaat Masja weg?', informeerde Berthe terwijl ze mijn hand vastpakte.

'Ze gaat bij Bart wonen', antwoordde ik. 'Masja is ziek en Bart gaat voor haar zorgen.'

'Slaap ik dan weer in mijn eigen kamer?', vervolgde Berthe.

'Natuurlijk', antwoordde ik. 'Ik laat nooit meer iemand anders in je kamer slapen.' Berthe keek teleurgesteld en dit verwonderde mij. Masja moest indruk op haar hebben gemaakt. Maar wat wist ik eigenlijk van het leven van Berthe bij haar vader? In de periode van de echtscheiding vroeg ik mij regelmatig af hoe ik ooit van deze man had kunnen houden, zeker toen hij ook nog Berthe van mij afpakte. Maar geleidelijk was ik vergeten hoe hij kon zijn. Vanwege Berthe hadden we een soort verstandhouding gekregen, met als regel dat we ons aan de afspraken hielden. Verder spraken we nauwelijks met elkaar. Berthe was ook niet spraakzaam als het om haar vader ging. Gedroeg hij zich tegenover haar hetzelfde zoals vroeger tegenover mij? Verbood hij haar veel dingen die voor anderen vanzelfsprekend waren, zoals een club of hobby waardoor ze zich kon ontplooien? Opeens drong tot mij door dat het vreemd was er zonder meer vanuit te gaan dat ze gelukkig was bij haar vader. Misschien kwam dat omdat hij mij dusdanig negatief afschilderde, dat ik deels zelf was gaan geloven dat ik een slechte moeder was. Hij was een modelvader en ik een moeder die het liet afweten, zo waren de rollen verdeeld.

Ik boog mij over Berthe en pakte haar vast bij haar schouders. 'Hoe is het bij pappa?', informeerde ik met een ernstig gezicht. 'Heb je het naar je zin bij pappa?' Ze keek mij bedremmeld aan. 'Ik mag niks', antwoordde ze fluisterend. 'Ik wil bij jou blijven. En bij Masja. Ze is lief.'

Verbijsterd liet ik haar los. Ze wilde helemaal niet terug naar haar vader! Terwijl ik al die jaren in de veronderstelling verkeerde dat ze ook zelf het liefst bij haar vader wilde blijven. 'Vind je het niet fijn bij pappa', herhaalde ik. Ze schudde heftig van nee. Op dat moment ging mijn mobiele telefoon over en had ik hem aan de lijn. 'Waar blijven jullie', riep hij geïrriteerd. 'Het is bijna elf uur.'

'We zijn onderweg', zei ik met een brok in mijn keel. 'Loop je op dit tijdstip met mijn dochter over straat', brulde hij. Nog even, en hij zou buiten zinnen raken. Ik moest hem vleien en geruststellen. Ik keek naar Berthe en ineens had ik daar geen zin meer in. 'Berthe is ook mijn dochter', antwoordde ik kortaf. 'Ze gaat met mij mee terug naar huis. Ze wil helemaal niet naar je toe.'

'Dat zullen we nog zien', antwoordde hij ijzig kalm. 'Binnen tien minuten staat de politie op je stoep als ik dat wil.'

'Je doet maar', antwoordde ik terwijl ik de hand van Berthe stevig omklemde. Daarna verbrak ik de verbinding.

3

Natuurlijk was Masja niet verdwenen toen we thuiskwamen. Met ogen die ver weg en wazig stonden zat ze op de bank te knikkebollen. 'Waar is Bart', was de eerste vraag die in mij opkwam toen ik voor haar stond. Een kort moment keek ze mij verschrikt aan, om daarna languit op de bank te gaan liggen. 'Please', mompelde ze met gesloten ogen. 'Ik kan niet meer.'

Ik bracht Berthe meteen naar boven omdat ik haar de aanblik van Masja wilde besparen. Ook verwachtte ik dat Bart ieder moment binnen kon stappen. Boven kleedde ik haar uit, hees haar in haar pyjama en legde haar met een zoen in mijn bed. Ik vertelde haar dat ze nooit meer naar haar vader hoefde.

Toen ik ruim een half uur later beneden stond, leek Masja verzonken in een diepe slaap. Met een zucht liep ik naar de keuken om thee te zetten en iets te eten te maken. Ik nam mij voor om de volgende dag schoon schip te maken. Masja zou ik te verstaan geven dat ze een ander logeeradres moest zoeken, ik zou een ander slot op de voordeur laten zetten en voor mijn dochter zou ik de voogdij inschakelen. Bart wilde ik na morgen nooit meer zien. Het was genoeg geweest. Ik vond dat ik mijn steentje had bijgedragen aan het welzijn van Masja. Nu moest ik aan Berthe denken.

Even later nipte ik aan een beker hete thee en werkte ik twee boterhammen met gebakken ei naar binnen. Masja maakte kleine pruttelgeluidjes. Opeens voelde ik weer medelijden met haar. Met welk recht voelde ik mij beter dan Masja? In zeker opzicht zaten we in hetzelfde schuitje, al had mijn exman mij nooit in de prostitutie gedwongen. Maar we waren allebei verliefd geworden op de verkeerde man. Hij zou haar aan de heroïne hebben geholpen, of ze had het spul nodig om te verdringen wat haar was overkomen.

Ik stond op en liep naar haar toe. Ze was nog zo jong, bedacht ik toen ik aandachtig naar haar keek. Ze scheelde maar tien jaar met mijn dochter. Wat als Berthe in een dergelijke situatie terecht zou komen? Alleen al bij de gedachte sloeg de schrik mij om het hart.

Ik sloop op mijn tenen naar boven om een deken voor haar te pakken. Ze moest het koud hebben, overwoog ik.

Boven opende ik de deur van de kamer van Berthe en kreeg de schrik van mijn leven. Ik zag dat er iemand in het bed van mijn dochter lag. Bart, schoot door mij heen. Dit ging te ver, dacht ik meteen daarna driftig. Met een paar passen liep ik naar het bed en boven het slapende lichaam schudde ik heftig aan de berg dekens, waar Bart onder moest liggen.

'Bart', brulde ik. 'Flikker op! Je gaat toch niet in dit bed liggen?' Ik schudde nog een keer heftig aan de berg dekens en begon zelfs van woede op hem in te beuken. 'Bart', riep ik met tranen in mijn ogen van woede. 'Je bent nu echt te ver gegaan.' Ik gaf nog een paar roffels op het lichaam en probeerde zijn gezicht naar mij toe te kantelen. Op dat moment drong er plotseling tot mij door dat er geen leven meer in het lichaam zat. De enorme bloedvlek bij zijn borststreek zag ik pas toen ik de dekens van hem afgooide en ik zijn marmerbleke gezicht zag, met bijna verbaasde, wijd opengesperde ogen en blauwe lippen.

In paniek roffelde ik de trap af om Masja erbij te halen en de politie te waarschuwen. Maar toen ik weer in de woonkamer stond zag ik dat ze was verdwenen. Weg. De nacht in. God weet waar naartoe.

Het ging snel wat zich daarna ontvouwde. Kort nadat ik radeloos vaststelde dat Masja was verdwenen, werd er aan de voordeur gebeld en stonden er twee politieagenten op de stoep. Een van hen noemde de naam van mijn ex-man en informeerde naar mijn dochter.

'U houdt uw dochter tegen de afspraak in bij u', zei een agent. 'We hebben orders gekregen haar terug naar haar vader te brengen.' Dit is krankzinnig, dacht ik in een fractie van een seconde. Boven ligt iemand die is vermoord en de politie komt mijn dochter halen. 'Er is iets gebeurd', haperde ik. 'Misschien wilt u even binnenkomen.'

Even later leidde ik de politieagenten naar boven en nadat ze Bart levenloos en onder het bloed aantroffen, brak de hel los. Ze belden meteen naar god weet welk hoofdbureau, gristen Berthe uit haar bed en te midden van het circus dat zich als in een film voor mij ontvouwde, werd ik met gillende sirenes naar een politiebureau gebracht, waar ik die nacht in een cel verdween. De volgende dag kreeg ik een advocaat toegewezen en werd ik voorlopig in de gevangenis opgeborgen.

Ik had Bart niet vermoord, maar er werden onvoldoende bewijzen gevonden om de beschuldiging te weerleggen dat ik Bart in een vlaag van verstandsverbijstering om zeep zou hebben geholpen. De vader van mijn dochter deed er uiteraard alles aan om tegen mij te getuigen. Hij voerde aan dat ik altijd al onberekenbaar was met onvoorspelbaar gedrag, waardoor ik onze dochter meerdere malen in levensgevaar bracht. Hij schroomde niet om uitgebreid over ons laatste telefoontje te vertellen, toen ik 's avonds laat nog met Berthe onderweg was en volgens hem in een paniekerige, verwarde toestand rechtsomkeer maakte.

Masja heeft men niet meer kunnen vinden en toen ze gevonden werd, was het te laat. Pas veel later hoorde ik hoe het haar is vergaan en voorlopig bleef ik vastzitten.

Op een dag raakte ik tijdens ons dagelijkse uurtje luchten aan de praat met een oudere vrouw en medegedetineerde. We stonden tussen de anderen op de grauwe, met hekken en prikkeldraad omheinde binnenplaats met een klein volleybalveld. Ik vond haar meteen sympathiek omdat ze iets krachtigs en moederlijks uitstraalde. Ze leek mij iemand die haar leven had geleid zoals het kwam en te goedmoedig was geweest om werkelijk doortrapt te zijn. Ik vroeg mij dan ook af wat ze op haar kerfstok had.

Toen ik het haar na wat gekeuvel rechtstreeks vroeg, haalde ze haar schouders op. Ze vertelde dat ze uit mededogen drugskoerier was geweest en binnenkort vrij zou komen, omdat ze behoorde tot de lichter gestraften. Er ging een schok door mij heen, want had ik zelf niet uit mededogen Masja in huis genomen?

Ik kwam van haar te weten dat ze in het begin af en toe een paar junks geld toestopte om eten te kunnen kopen. Later ging ze voor hen koken en sommigen bleven in haar huis plakken. Ze stemde erin toe spul te bewaren en af en toe iets weg te brengen. Op een gegeven moment zat ze tot in haar nek in de drugswereld. Ze werd opgepakt toen er in haar huis een meisje overleed.

'Het lijkt op mijn verhaal', riep ik. 'Ik ben opgepakt omdat in mijn huis een jongen is doodgestoken, die ik alleen maar heb willen helpen.' Ze keek mij onderzoekend aan. 'Hij heette Bart', vervolgde ik. Hij had een vriendin in Oekraïne die in de problemen zat. Ze was nog een kind eigenlijk. Getrouwd met de verkeerde man en in de prostitutie beland. Toen we haar hier naartoe haalden bleek ze een junk. Ze loog natuurlijk de helft bij elkaar om hier naartoe te kunnen komen.'

'Waar is ze nu?', informeerde de vrouw. 'Is zij ook dood?'

'Ik weet het niet', zuchtte ik. 'Nadat ik Bart dood vond, was ze er plotseling vandoor. Masja, heette ze. Misschien is ze weer terug naar Rusland.'

'Masja is dood', mompelde de vrouw. 'Zij was het die ik als een zieke kat van straat heb geplukt. Ze is in mijn armen gestorven. Een overdosis. Ze kon niet meer. Ze was op.'

Op dat moment moet alle bloed uit mijn gezicht zijn weggetrokken. Ze pakte mij vast omdat ik wankelde op mijn benen. 'Jij zit hier vast voor Masja', mompelde ik. 'Was het Masja? Weet je het zeker?' De vrouw knikte. 'We praten over dezelfde persoon', antwoordde ze. 'Er kan maar één meisje Masja uit Oekraïne zijn die in Nederland aan de heroïne was. God weet wat er allemaal met haar gebeurd is toen ze over straat zwierf.'

'En Bart?', informeerde ik nadat ik van de schrik was bekomen. 'Heeft ze het nog over hem gehad? Wist ze dat hij is vermoord?' Voor een kort moment keek de vrouw mij onderzoekend aan, alsof ze zeker wilde weten of ik de waarheid kon verdragen. 'Zij was het', zei ze tenslotte. 'Ze heeft hem vermoord, omdat hij meer van haar wilde dan ze kon geven.'

'Waarom zit ik dan hier', mompelde ik. 'Alles is van mij afgepakt. Mijn werk, mijn huis, mijn dochter...'

'Kom', zuchtte de vrouw. 'Mij geloven ze niet als ik met dit verhaal naar justitie ga om ons vrij te pleiten. Maar jij en ik leven nog. We hebben geluk gehad. Dat kunnen we van de anderen niet zeggen.'

Het laatste optreden

1

De zon scheen uitbundig toen Gonda de Roovere op een dinsdagochtend in augustus in haar tuin stond en met een spade de aarde omwoelde. Peinzend leunde ze even later op de steel van haar spade, die ze stevig plantte in de rulle aarde van een perk met lavendel. Vanuit de verte zag ze de postbode naderen. Hopelijk zat er deze keer iets voor haar bij. Want afgezien van een paar vakantiekaartjes van verre kennissen, was het stil geworden om haar heen. Ze zag haar naam weer voor zich op het affiche van haar afscheidsvoorstelling... Goed, dit lag alweer jaren achter haar omdat ze de switch naar bijrolletjes in televisieproducties niet had willen maken – ze had aanbiedingen genoeg gekregen. Maar ze wilde niet eindigen in kleine, onbeduidende rollen omdat haar jaren begonnen te tellen. Ze werd al voorbijgestreefd door een generatie aankomend talent bij wie haar naam nauwelijks bekend was!

Toen ze eenmaal had besloten op het hoogtepunt van haar carrière te stoppen, was het afscheid groots geweest. Haar laatste grote rol was Hermance in 'Verloren zielen', van Jacques van Waveren, een stuk dat hij speciaal voor haar schreef. Na afloop was er ruim een half uur een staande ovatie en natuurlijk waren er veel, heel veel bloemen en een receptie met een grandioos cadeau, een ridderorde.

Niet lang daarna, toen het geruis om haar heen verstilde, begon ze te twijfelen aan de juistheid van haar beslissing. Haar collega's waren haar snel vergeten. Als het zo was gesteld met haar collega's, overwoog ze toen, hoe zou het dan gaan met haar vroegere publiek en haar fans? Als ze een keer zomaar, onverwachts een repetitie van Jacques bezocht, werd ze door de een of andere assistente naar de kantine verwezen. Sommige collega's van vroeger zag ze van tijd tot tijd op televisie, een enkeling speelde door...

Maar deze winter had Jacques na een voorstelling bij haar geïnformeerd of ze een comeback wilde overwegen. 'Een grande dame van het toneel zoals jij moet niet thuis duimen zitten draaien... Je zou de jongeren nog iets kunnen leren... en vooral jij zou moeten weten dat iedere rol, hoe klein ook, dragend is voor het geheel. Je tijd van de grote rollen is voorbij, maar je invloed op het toneel is zeker niet uitgespeeld...'

Het was raak geweest. Want had ze niet een nieuwe interpretatie van de klassieken geïntroduceerd? Het moest meer teruggrijpen naar de oorsprong. Ze liet de sfeer van het antieke theater herleven en de mensen gingen met een boodschap naar huis. Gevleid legde ze een arm om zijn schouder.

'Ik zal erover nadenken. Er zijn nieuwe generaties waar ik veel aan heb door te geven.'

Ze grabbelde in een zak van haar tuinschort en haalde haar sleutelbos tevoorschijn. Langzaam en statig liep ze over het grintpad naar een klassiek, hoog gietijzeren hek, dat haar villa als een vesting beschermde tegen de buitenwereld. Het hek had spits toelopende punten, waardoor onverlaten er niet zonder kleerscheuren overheen konden klimmen. Ze voelde zich erdoor beschermd, zeker in een periode waarin ze avond aan avond op het toneel stond en Wim er niet meer was om op de villa te passen.

Hoe vol was haar postbus vroeger niet geweest, overwoog ze terwijl ze aan het hek morrelde. Ze ontving altijd zoveel uitnodigingen, dat het ondoenlijk was ze allemaal te honoreren. Nu viste ze er meestal alleen nog maar reclamefolders en facturen uit.

Met een klein sleuteltje opende ze de klep van de postbus. Ze zuchtte. Het bekende stapeltje. Of nee, er zat een enveloppe tussen van handgeschept papier. Jacques, schoot door haar heen. Eindelijk. Met het stapeltje post liep ze naar binnen om haar handen te wassen. In de keuken legde ze de enveloppe apart op de keukentafel.

Even later scheurde ze hem open met een gretigheid die haar verbaasde. Wil ik dan zo graag, dacht ze. Waarom kan ik niet van het leven genieten nu er niets meer hoeft? Haar hart sprong op toen ze de inhoud las. Het ging over haar comeback! Jacques was haar inderdaad niet vergeten. Of ze contact wilde opnemen met Frederik Strijfaart, de man van het vernieuwende theater. Ter gelegenheid van het vijftigjarige jubileum van kamerorkest Boticelli werd er een recital ingestudeerd met liederen van Schubert. Met alle eerbetoon werd aan haar, Gonda de Roovere, gevraagd of ze in stijl een voordracht wilde houden.

Ze drukte de brief tegen haar borst. Haar naam was doorgespeeld aan Frederik Strijfaart... Maar wat had hij met Schubert te maken? Hij was een man van de gedurfde aanpak. Ruw theater waarin er weinig illusies over de mensheid heel werden gelaten. Het was theater waar ze niet van hield en ook hij had haar nooit ergens voor gevraagd... Als het maar niet ging om iets experimenteels... Schubert... dat was de Erlkönig, Die Winterreise...

Opnieuw bestudeerde ze de brief. Het concert was gepland in november. Twee maanden... twee maanden van repeteren... overleg en leven in de brouwerij. Aankondigingen... een optreden... Ze zou het doen, besloot ze terwijl ze een ketel onder de kraan hield om thee te zetten. Een voordracht als grande dame van het toneel... haar rol was nog niet uitgespeeld.

'Fred, wat heerlijk om je weer te zien.' Met haar armen gespreid, klaar voor een theateromhelzing onder collega's, beende Gonda naar Frederik Strijfaart. Aan een grote, lange tafel in een voormalig schoollokaal was hij druk in gesprek met twee jonge acteurs.

'Dekking! Entree van de diva.' Geforceerd verheugd sprong hij op. 'Gonda! Veel te lang geleden dat je er was.' Ze hadden haar in zijn maag gesplitst, maar nu ze er was moest hij er het beste van zien te maken. Het kamerorkest Botticelli benaderde hem voor een 'experimentele, theatrale omlijsting' tijdens hun jubileumconcert, dat geënsceneerd zou worden rond Goethe en Schubert. Natuurlijk was hij in de lach geschoten. Wat stelden ze zich erbij voor? Hij had de opdracht meteen door willen spelen aan Jacques van Waveren, met de suggestie er een gepaste, traditionele avond van te maken. Toen hij hem erover belde om te polsen, Jacques vertegenwoordigde immers het repertoiretoneel met de klassieken, hoorde hij dat de rinoceros Gonda de Roovere was benaderd. De vrouw van het grote gebaar en de galmende stem. Woedend was hij. Hij werd gewoon met zijn rug tegen de muur gezet. Alsof de opdracht te eervol was om te kunnen weigeren. In ieder geval toucheerde hij een fors honorarium. Alleen al de verplichte samenwerking met Gonda de Roovere rechtvaardigde een flinke bonus op het gebruikelijke tarief voor dergelijke klussen.

Ze hadden zijn eisen ingewilligd. Natuurlijk. Ze wisten dat de voorstelling nog lang na het jubileum geld zou opbrengen. Met hem als regisseur werd er geschiedenis geschreven, en dat was geld waard.

'Heerlijk, heerlijk, jongens.' Met een vanzelfsprekende autoriteit pakte Gonda een stoel, die ze naar het hoofd van de tafel sleepte. 'Ik ruik het theater, de arena... hoe heb ik daar ooit zo ondoordacht afscheid van kunnen nemen?'

'En zo jong nog! In de bloei van je carrière.'

'Weet je nog mijn laatste grote rol?' Ze negeerde de laatste opmerking van Frederik Strijfaart, want ze begreep waar hij op doelde. Ook zij zag als een berg op tegen hun samenwerking. Ze zouden heel wat noten te kraken hebben... Ze plantte haar ellebogen op de tafel, met haar kin op haar gevouwen handen.

'Hermance... de mensen wilden helemaal niet dat ik afscheid nam. Ik kreeg een staande ovatie van bijna drie kwartier... maar ja... ik wilde geen televisiewerk, ze vroegen mij zelfs voor reclamespots! Verbeeld je...'

'Jongens, Gonda de Roovere hoef ik niet meer bij jullie te introduceren.' Frederik wilde haar afkappen voordat ze in eindeloze monologen zou uitweiden over haar stokpaardje, televisiewerk. Bij ieder interview begon ze erover, en dan was ze niet meer te stuiten.

'Gonda, dit zijn Frank Wiering en Elsbeth Derksen. Van haar verwacht ik veel, maar natuurlijk ook van jou Frank! Hij pakte een stapeltje papier. 'De ruwe lijnen nemen we vandaag door, volgende week beginnen we met repeteren.'

'Elsbeth, Elsbeth... Ben ik jouw naam niet eerder tegengekomen?' Gonda bestudeerde de papieren voor haar op tafel. Met een verlegen, behoedzame blik stond Elsbeth op om de hand van Gonda te schudden. Gonda de Roovere was zowel beroemd als berucht. Beroemd vanwege haar grote rollen, berucht om haar temperament. Op de toneelschool volgde ze haar carrière met bewondering. Ze was haar grote voorbeeld. Een sterke vrouw die schitterde in karakterrollen... veel romances ook... twee keer getrouwd geweest. Fred vond haar niets. Hij gebruikte haar om een slecht voorbeeld te stellen.

'Die vrouw is een anachronisme! Dat is geen toneel, dat is veredelde declamatie. Oubollig toneel uit de jaren vijftig van de vorige eeuw. Toneel in hapklare brokken voor de ongeletterde massa.'

'Misschien zag u mijn naam op een affiche van Markies de

Sade... In een bijrolletje dan. Ik ben pas een half jaar van de toneelschool... een eer om met u te mogen werken.' Elsbeth schudde de hand van Gonda.

'Markies de Sade... Helemaal aan mij voorbijgegaan. Een productie van Fred?'

'Heel goed.' Frank Wiering stond nu ook op om haar hand te schudden. 'Misschien kent mij van de televisie.'

'Laten we beginnen.' Frederik Strijfaart wilde Gonda geen ruimte geven om op Frank te reageren. Uren later zouden ze dan nog steeds in het repetitielokaal zitten, zonder een stap verder te zijn gekomen. 'Het idee is dus liederen van Schubert met een voordracht. Ik heb meteen bedongen dat er twee aankomend acteurs meedoen, want ik wil er iets bijzonders van maken. Anders moeten ze mij niet engageren, nietwaar? Men wil de Erlkönig ten gehore brengen. De tekst ligt voor jullie. Dit is een uitgelezen gelegenheid daar een performance van te maken.'

'Wacht, Fred. Wacht!' Gonda sloot haar ogen. 'Heb ik het goed dat alleen ik voor een voordracht ben gevraagd en dat jij er een performance van maakt?'

'Juist. Ik heb gezegd dat ze anders maar Jacques van Waveren moeten vragen. Ik wil lichteffecten, draaiend toneel en een interpretatie van Goethe naar onze tijd.'

'Wat heb ik hier dan te zoeken. Als het om verkrachting van de klassieken gaat... hopelijk hoef ik niet op mijn knieën een drol op te eten... met special effect...'

'Wacht tot alles op zijn plaats valt. Voorlopig heb je nog niks gezien.' Fred had zich op haar reactie voorbereid. Natuurlijk sputterde de rinoceros tegen als ze geen glansrol kreeg.

'De Erlkönig is een machtig lied op een gedicht van Goethe. Ik wil de schets van de performance vandaag doornemen, volgende week doen we een tekstdoorloop. Jullie moeten de tekst van het lied kunnen dromen. Alles hangt af van de timing.'

'Prima!' Gonda griste naar haar papieren. 'Liederen van Schubert zijn sowieso draken.'
'Daarom gaan wij de boel ontregelen. We geven een totaal nieuwe visie.'
Gonda huiverde. Daar was ze juist zo bang voor. Ze kende de visie van Frederik Strijfaart. Hij was nihilistisch. 'Heb je volledig de vrije hand gekregen? Ik bedoel... is het niet verstandig om in grote lijnen rekening te houden met hun wensen? Het orkest heeft alle klassieken op hun repertoire.'
'Juist daarom. Ze moeten worden opgeschud.' Frederik Strijfaart wuifde verveeld met zijn papieren. 'Anders moeten ze voor mij maar een ander nemen.'
'Zullen we beginnen? Laten we de principiële discussie overslaan.' Frank Wiering verveelde zich. Gonda en Fred maakten ruzie over veel meer dan dit stuk. Het ging over zaken die zich voor zijn tijd afspeelden en voor hem was tijd geld. Fred had duidelijk geen trek in Gonda, maar wie wel?
'Goed plan.' Frederik Strijfaart plofte op een stoel naast Frank. 'Genoeg aan elkaar gesnuffeld, aan de slag!'

Met een kop tomatensoep binnen handbereik koesterde Gonda zich in de late namiddagzon. Ze zat soezend, loom achterover geleund in een rotanstoel in de serre, waar ze tussen weelderige planten in grote potten een zitje had gemaakt. Die ochtend had ze zich vreselijk opgewonden over een artikel in de krant waarin haar comeback bij Frederik Strijfaart werd besproken. Het was een ironisch, badinerend stuk waarin er werd getwijfeld aan haar samenwerking met Frederik Strijfaart. Iemand moest haar tegen haar zelf in bescherming nemen. Nu, in de serre, wilde ze zich heroverwegen.
Ze moest geen stukken over haar in de krant lezen, overwoog ze terwijl ze de kom soep pakte. Ze raakte er overstuur van, of er nu positief of negatief over haar werd geschreven. Maar vroeger had ze vooral lovende kritieken gehad. Wat wis-

ten die jongelui bij de krant tegenwoordig nog van haar? Ze werd afgeschilderd als een museumstuk, dat plotseling vanuit een vitrine in een verre uithoek in het centrum van een tentoonstelling werd geplaatst. Toch kon ze de recensent niet helemaal ongelijk geven als het ging over haar samenwerking met Frederik Strijfaart. Ironisch beweerde hij dat het ernaar uitzag dat ze op haar oude dag een brandhaard leek op te zoeken, om snel en doeltreffend in de vlammen ten onder te gaan. Er zat een kern van waarheid in. Deed ze er wel goed aan om met Frederik Strijfaart in zee te gaan? Zou zelfs niet, als ze inging op zijn voorwaarden, in één klap haar reputatie naar de maan zijn?

De eerste doorloop gisteren schokte haar. Fred wilde een decor met een enorme trap die naar boven toe steeds smaller werd. Het was de trap naar de Hades. De zangeres zou zijdelings van het toneel staan. Frank en Elsbeth kregen de rol van vader en zoon, zijzelf was 'de schim', zoals Fred het noemde. Zonder tekst. Door een theatrale enscenering wilde hij spanning opbouwen, met veel lichteffecten en een ontregelend, duister decor. De zoon werd door een schim meegenomen naar de onderwereld.

De hel... krankzinnig. Ze stond op uit haar stoel. Fred maakte een vervolg op de Erlkönig. Daar kwam het toch op neer. En dan de onderwereld. In het gedicht van Goethe werd de zoon meegenomen naar het licht door een engel! De Erlkönig had helemaal niets met de onderwereld te maken.

Ze liep naar de eettafel en pakte de aantekeningen van Frederik Strijfaart erbij. Wat een knoeier eigenlijk, dacht ze hoofdschuddend. Wat een gebrek aan respect voor de klassieke, oorspronkelijke tekst. Driftig smeet ze de papieren terug op de tafel. Ze zou haar aandeel in de voorstelling afblazen. Ze deed het niet. Ze bedankte ervoor haar reputatie om zeep te laten helpen. Want dat zou gebeuren. Vooral na het stuk vanmorgen in de krant. Schim op het toneel. Zonder tekst.

“Je bént een schim uit het verleden”, dát wilde hij met haar rol zeggen.

‘Fred.’ Snijdend en kortaf nam hij de telefoon op. Ze hapte naar adem. Zo was hij. Hij sneed mensen op voorhand de pas af. ‘Gonda hier. Heb je vanmorgen dat stuk gezien in de Telegraaf?’

‘God nee, geen tijd gehad. Stond er iets over mij?’

‘Waar het om gaat is dat ik belachelijk word gemaakt. Ik heb besloten ervan af te zien. Het wordt een ramp.’

‘Gonda, je moet niet op je emoties drijven. Publiciteit is publiciteit. Mensen schrijven maar wat. Je schreeuwt voordat je geschoren bent.’

‘Daar ben ik juist zo bang voor. Je zet mij voor schut. Wat je maakt heb ik altijd duister gevonden.Verkrachting van de klassieken bovendien. Nee, Fred, ik kap ermee. Zoek voor mij maar een andere schim.’

‘Gonda, het orkest was razend enthousiast. Zullen we dit gesprek morgen voortzetten? Praat anders eens met je collega’s. Elsbeth is een groot bewonderaarster van je. Het zal je goed doen.’

‘Misschien een goed idee Fred.’ Het vooruitzicht met iemand te praten die haar bewonderde stemde Gonda mild. Misschien had het stuk in de krant haar onnodig opgewonden. ‘Ik geef je haar nummer.’ Fred zuchtte. In zekere zin verwachtte hij haar telefoontje. Met Gonda was hij op alles voorbereid en veel hing af van de juiste timing. ‘Je zou beter moeten weten dan op tilt slaan van zo’n stukje in de krant!’

Tevreden legde Gonda de hoorn op het toestel. Het was een goed idee haar te vragen Elsbeth Derksen onder haar hoede te nemen. Net als Jacques van Waveren vond Fred natuurlijk dat ze haar ervaring moest doorgeven aan de volgende generatie. Fred bedoelde het waarschijnlijk allemaal niet zo kwaad. Het was sowieso te laat om de boel af te blazen. Er zou een rel van komen en ze moest inderdaad beter weten. Publiciteit was publiciteit. Maar niet zij had Frederik Strijfaart nodig om haar naam te vestigen, het was andersom! Hij had haar nodig!

Ze liep naar de keuken en pakte haar mobiele telefoon van de keukentafel. Even later toetste ze het nummer van Elsbeth.

'Hallo zeg, met Gonda de Roovere. Heb je zin om hier morgenochtend langs te komen? Er zitten wat dingen in het stuk die we kunnen aftasten. Fred weet ervan. Hij vroeg mij je te benaderen.' Na een korte pauze stemde Elsbeth in.

'Ik vind het heel leuk om bij u langs te gaan. Schikt morgenochtend rond tien uur?'

'Dat is dan geregeld. Tot morgen.' Met aangename kriebels in haar buik legde Gonda haar mobiele telefoon terug op de keukentafel. Ze had een pupil en ze kreeg een centrale rol in een stuk dat nu al ophef veroorzaakte. Wat wilde ze nog meer?

'Ik hoop dat je je aantekeningen bij je hebt.' Gonda liep naar de serre met een dienblad, waar twee bekers koffie op stonden. 'Ik moet zeggen, ik heb mijn twijfels over het geheel.'

'Frappant, ik ook.' Elsbeth pakte een beker van het dienblad. 'Fred werkt nou eenmaal zo. In het begin is het een zootje. Geleidelijk komt er structuur in.'

'Het werk van Fred heeft mij nooit aangesproken.' Driftig roerde Gonda in haar koffie. 'Zoals je weet deed ik de grote klassieken met Jacques van Waveren en met Wim de Roovere, mijn man. Daar heb je misschien alleen maar van gehoord.'

'Geweldig vond ik u!' Elsbeth veerde op van haar stoel. 'Ik heb u gezien in uw afscheidsvoorstelling en in Tsjechov, een absoluut hoogtepunt. De Meeuw zag ik als kind. Het maakte een onuitwisbare indruk.'

'God ja, de Meeuw...Arkadina... dat je dat weet. Het was het lievelingsstuk van Wim... hij bleef eraan schaven. Volgens hem was Arkadina niet zozeer jaloers op Nina, die ook actrice wilde worden, maar was ze verliefd... De Meeuw gaat over de dood...' Gonda zuchtte.

Als Elsbeth haar in deze stukken had gezien, moest ze begrijpen dat haar rol van schim eigenlijk niet kon. Na zo'n carrière hoefde je jezelf toch niet tot zoiets te verlagen?

'Denk je dat ik er goed aan doe deze rol aan te nemen?' Ze tikte op het vel papier voor haar. 'Gisteren verscheen er een akelig stuk over mij in de krant. Ik word op voorhand belachelijk gemaakt.'

'Woont u hier helemaal alleen?' Elsbeth veranderde van onderwerp omdat ze niet wilde laten merken dat ze het stuk in de krant had gelezen. Een inhoudelijke discussie met Gonda was glad ijs, en ze wilde niet meteen de goede verstandhouding bederven. Gonda was snel in haar ijdelheid gekwetst. Er hoefde maar een opmerking te vallen over haar rollen, of ze ging in de verdediging.

'Na de dood van Wim verdroeg ik niemand om mij heen. Dat is zo gebleven. Later gaat alles naar het theaterinstituut.'

'Misschien is het ook wel fijn alleen. Na zo'n lange carrière bedoel ik.' Natuurlijk wist Elsbeth alles over de plotselinge dood van de grote regisseur Wim de Roovere. Hij was twintig jaar jonger dan Gonda, die een zoon had uit een vorig huwelijk. Met talloze minnaressen veroorzaakte Wim de Roovere indertijd veel schandalen. Vreemd, dat zij hem op een voetstuk plaatste. De kranten stonden vol met incidenten en escapades, waarvoor hij van tijd tot tijd voor de rechter moest verschijnen. Plotseling was hij gestorven aan een hartinfarct. Boze tongen beweerden dat Gonda hem daarbij een handje had geholpen. Tijdens een van hun ruzies duwde ze hem van het toneel. Hij kwam ongelukkig in de orkestbak terecht. Hij was daar nooit volledig van hersteld.

'En jij?' Gonda observeerde Elsbeth plotseling scherp, alsof ze haar aan iemand herinnerde. 'Hoe woon jij?'

'Ik woon op kamers. Nou ja, niet echt. Het is boven mijn ouders. Ze hebben een kantoorboekhandel en boven was er nog een ruimte vrij. Toen ik op de toneelschool wilde werd mijn vader kwaad. Al woon ik vrij, ik heb alles zelf moeten verdienen.'

'Ach, ja. Toneelambities en ouders... Vreemd genoeg had mijn zoon geen enkele ambitie voor het toneel. Toen hij nog klein was, nam ik hem weleens mee. Hij is als het ware opgegroeid tussen de coulissen. Ik was dan ook met stomheid geslagen toen hij vertelde dat hij scheikunde ging studeren.' Het gezicht van Gonda versomberde.

'Nu weet ik niet meer waar hij uithangt en wat hij doet. Ik heb al bijna tien jaar geen contact met hem.'

'Zullen we beginnen met een eerste tekstdoorloop?' Elsbeth was bang voor de confidenties van Gonda. Wat moest ze ermee? Fred lachte haar uit, omdat ze Gonda ondanks alles bewonderde.

'Jij hebt het ook niet gemakkelijk kind.' Gonda boog zich voorover en tikte op de knie van Elsbeth. 'We moeten vriendinnen worden. Ik heb besloten dat ik mij niet terugtrek. Het is een eer om nog één keer in de schijnwerpers te staan.'

2

'Dus ik kom vanaf een hoge, smalle trap opwapperen als schim. Ik mag wel oppassen dat ik mijn nek niet breek.' Voor de tweede keer zaten ze bij elkaar voor een tekstdoorloop en triomfantelijk greep Gonda naar een thermoskan koffie. De onzin met die trap zou ze van tafel vegen. De anderen zagen toch ook dat het niet kon wat Fred wilde?

'Luister nou eens. Je bent cruciaal voor het geheel. De Elzenkoning van Goethe is helemaal niet zo vriendelijk. Hij ontrukt het kind aan zijn vader en neemt het mee naar de eeuwige jachtvelden. Dát moet erin zitten. Het lied is gejaagd, haastig, in galop. Er heerst angst en vrees. De Elzenkoning is de personificatie van de duivel.' Met een vermoeid gebaar tikte Frederik Strijfaart op zijn papieren. Gonda bleef weerbarstig. Ze wilde natuurlijk alles weer groots en theatraal, met een glansrol voor zichzelf. Nog even, en hij donderde haar gewoon van die trap af.

Elsbeth knikte. Het was inderdaad een angstaanjagend verhaal. Dat had ze Gonda ook duidelijk willen maken. Fred liet ze intussen niet merken hoezeer ze onder de indruk van haar was. Tijdens haar bezoek sprak ze over haar grote rollen van vroeger, over de magie tussen haar en het publiek... Later, toen ze bij het hek stonden en ze op het punt stond om op haar fiets te stappen, gaf Gonda haar drie zoenen. Het leven van Elsbeth nam een wending waar ze in stilte op hoopte. Ze kreeg een prominente rol in een stuk van Frederik Strijfaart, én ze was bevriend met een van de grootste actrices van de vorige eeuw.

'Wer reitet so spät durch Nacht und Wind? Es ist der Vader mit seinem Kind. Er had den Knaben wohl in dem Arm, Er fasst ihn sicher, er hält ihn warm.' Fred keek om zich heen.

'Dit geeft kippenvel. De hele toonzetting is angstaanjagend. Een vader te paard, in galop met zijn zieke kind. Het kind ligt op sterven. Hij gaat hulp halen. Ik wil hier Frank en Elsbeth verstrengeld zien in een worsteling. Een strijd op leven en dood. En jij, Gonda, staat bovenaan een trap die naar de Hades voert. De zangeres personifieert Lucifer, die als het ware verslag doet. De ziel van het kind wordt meegevoerd. Dus Gonda, je wappert niet, je staat. Op de cadans van het lied neem je de ziel van het kind mee naar boven, terwijl het lichaam als een lege huls bij de vader achterblijft.' Frederik Strijfaart knikte naar Gonda, die verveeld achterover leunde. 'Het moet kort en krachtig worden. Huiveringwekkend en gejaagd.'

'Dat zie ik anders.' Gonda nam een slok koffie en stond op. 'Mein Sohn, was birgst du so bang dein Gesicht? Siehst, Vater, du den Erlkönig nicht? Den Erlenkönig mit Kron und Schweif? Mein Sohn, es ist ein Nebelstreif. Ik kan dat moeilijk een worsteling noemen. De zoon heeft een visioen, en de vader stelt hem gerust.'

'Gonda, laat je meevoeren in de sfeer van het geheel. Hier kunnen we eindeloos over debatteren. Het gaat over een strijd tussen vader en zoon. De vader dreigt zijn zoon te verliezen en wil niet dat hij opgeeft. De zoon wil loslaten. Dat is iets universeels. Mensen willen elkaar niet loslaten, terwijl verlies een natuurwet is in de dood.'

'Prachtig.' Elsbeth knikte naar Gonda. Later zouden ze het over dit thema kunnen hebben. Loslaten en verlies, was dit niet ook het thema van Gonda de Roovere? Misschien konden ze sommige dingen samen uitwerken. Fred stelde een eigen inbreng zeer op prijs. Hij gaf aan en zette het geheel neer. Zelf moest je je rol vormgeven. Dat zou ze aan Gonda duidelijk proberen te maken. Ze was waarschijnlijk alleen autoritaire verhoudingen gewend. Misschien wilde ze daarom niet met Fred samenwerken. Ze wilde gloriëren in een strakke regie.

'Pauze jongens, voorlopig kappen we.' Met een vermoeide handbeweging schoof Frederik Strijfaart de papieren van zich af. 'We zien elkaar over een uur.'

'Waar heb je behalve de Markies verder in gespeeld?' Gonda pakte een stuk brood uit een mandje voor haar op tafel. Samen met Elsbeth was ze naar een Italiaans restaurant geslenterd, omdat ze met de gedachte rondliep haar te vragen of ze een poosje bij haar wilde wonen. Haar bezoek had ze bijzonder gewaardeerd, en pas toen ze weg was merkte ze hoe stil het was in huis. Het was zelfs zover gekomen dat ze in zichzelf praatte. Daar moest verandering in komen. Ze snakte naar gezelschap om zich heen.

'Ik had een bijrolletje in een soap op televisie. Mijn eerste rol.' Elsbeth nam een slok wijn.

'Dan heb je geboft met Frederik Strijfaart.' Langzaam kauwde Gonda op het brood. 'Hij heeft je gered van een carrière waarin je in wezen nergens voor gevraagd wordt. Het is verkeerde ambitie. Snel een rolletje op televisie... jullie kunnen niet meer wachten. Vroeger begonnen we met klusjes in het theater. Dan kreeg je een keer iets te doen en verder wachtte je je kansen af.'

Elsbeth zuchtte. Ze wilde geen eindeloze monologen aan Gonda ontlokken over vroeger in vergelijking met nu. 'Het was een leuke rol om mee te beginnen. Ik was barmeisje, met af en toe een stukje tekst. Heb je nooit naar die serie gekeken? Daar kende je mijn naam waarschijnlijk van.'

'Zou best kunnen.' Gonda plukte aan haar servet en hief haar glas. 'Met jou komt in ieder geval alles in orde. Voor de televisie zullen ze je nooit meer vragen... als je met mij wordt geassocieerd... Volgens Fred ben je het nieuwe talent van het komende seizoen.' Ze knikte naar Elsbeth, alsof ze een toost uitbracht.

'Nu we zo gezellig samenzijn merk ik dat ik te lang alleen ben geweest. Wil je een poosje bij mij wonen? Voor de duur van het stuk? Je zou in huis kunnen helpen. Ik introduceer je hier en daar...beschouw jezelf als mijn pupil.'

Elsbeth keek peinzend naar Gonda. Ze straalde iets eenzaams uit wat ze wel vaker bij ouderen bespeurde, dit natuurlijk ook door de gretigheid waarmee ze werd geïnviteerd. Het was een buitenkans om onder de hoede genomen te worden van Gonda de Roovere. Het zou zelfs een doorbraak kunnen betekenen. De mensen zouden het zien alsof Gonda de Roovere haar als opvolgster aanwees. Maar hoe zou Fred reageren? Hij zou haar uitlachen.

'Is dat wel verstandig? U kent mij nauwelijks.' Ze peuterde aan een stuk brood in het mandje. 'Kind, sinds gisteren is het of ik er een dochter bij heb gekregen.' Met gespreide armen boog Gonda zich naar Elsbeth. 'Zeg ja, en je verwarmt mijn hart.'

'Ik doe het, voor de duur van het stuk.' Elsbeth stond op en liep naar Gonda om haar een zoen te geven. 'Laten we plannen maken.' Met een brede lach gaf Gonda een kneepje in de arm van Elsbeth, terwijl een ober twee borden spaghetti op de tafel neerzette.

'Tja, schim in de Erlkönig van Schubert, ik kan het nauwelijks een rol noemen', zei Gonda even later gedecideerd. Nu ze wist dat Elsbeth bleef, beschouwde ze haar als een volwaardige gesprekspartner. Ze draaide slierten spaghetti rond haar vork en nam een hap. 'Ik wenk jou, je bent in tweestrijd. Ik betover je als het ware.'

'Dat kunnen we uitwerken. Ik voel mij verscheurd. Geef ik gevolg aan de roep van mijn vader, of aan die van de Elzenkoning.' Elsbeth begon zich bij Gonda op haar gemak te voelen. Het was een leuk plan om een tijdje in haar villa te bivakkeren. Wie weet wat er nog uit zou voortvloeien. Want hoewel Gonda natuurlijk volkomen passé was, dat had Fred haar wel duidelijk weten te maken, had ze nog steeds naam.

'Ik moet dat lied nog ergens op een grammofoonplaat hebben staan. We kunnen er samen naar luisteren. Vreemd dat Fred zoiets niet voorstelde. Je moet dat lied toch ook horen.' Gonda legde haar hand op die van Elsbeth. 'Je gaat immers meteen mee? Je spullen komen wel. Ik bel een bedrijf voor een busje.'

Elsbeth was natuurlijk overrompeld, overwoog Gonda. Veel was ze immers niet gewend. Ze woonde op een kamer boven de kantoorboekhandel van haar ouders, die haar als enig kind laat hadden gekregen. Van huis uit had ze geen enkele culturele bagage meegekregen en haar ouders waren nu bejaard, net als zij. Maar voor haar was Elsbeth een uitdaging. Hoeveel had het kind niet gemist! Misschien voerde de eenzaamheid haar wel naar het toneel. Het leek alsof ze zódanig hongerde naar aandacht en erkenning, dat ze kritiekloos alle rolletjes aannam die ze kon krijgen. Goed, Fred zag iets in haar. Misschien ging het bij hem wel meer om haar leuke gezichtje en frêle figuurtje, dan om haar talent. Later zou hij haar afdanken als een pop waar hij op uitgekeken was. Waarschijnlijk waren ze met elkaar naar bed geweest en had ze haar rol hieraan te danken. Ze verdrong echter meteen die kwaadaardige gedachte. Ze moest toegeven dat Elsbeth iets bijzonders had. In haar gezicht zat ook iets krachtdadigs en ze had ze een mooie, volle stem.

'Je krijgt de kamer van mijn zoon.' Gonda maakte een wijds gebaar.

'De kamer van je zoon?' Onwillekeurig trok er een rilling door Elsbeth. Was het niet beter om het voorstel van Gonda eerst met Fred te bespreken? Wie weet wat ze zich allemaal in haar hoofd haalde. Het leek alsof Gonda wilde dat ze de plaats van haar zoon innam. Ze keek op haar horloge en wenkte de ober om af te rekenen.

'We moeten weer terug. Fred zei dat we een uur pauze hebben. We zitten hier ruim een uur.' Ze pakte haar handtas en grabbelde naar haar portemonnee.

'Ben je mal? Ik trakteer!' Gonda legde twee briefjes van twintig euro op tafel. 'Je bent mijn pupil! Fred kan de pot op. Thuis bel ik hem wel even. We hebben genoeg gedaan vandaag. Ik wil je de Erlkönig laten horen. Dan begrijp je meteen waar ik het over heb.'

3

Elsbeth bekeek zichzelf in de grote spiegel, die ze twee maanden geleden samen met Gonda vanuit de woonkamer naar boven sleepte. Hij stond nu schuin op de grond naast een chaise longue met een dieprood fluwelen foulard. Als ze een paar passen naar achteren liep kon ze zichzelf er helemaal in zien. Ze had haar volle, donkere haren met een parelmoeren kam en spelden opgestoken en droeg een elegant, blauw linnen mantelpak waarvan het jasje getailleerd was. Het was receptiekleding voor na de première. Terwijl ze zichzelf van alle kanten bestudeerde, deed ze nog snel lippenstift op.

Ze inspecteerde haar suitecase met make-up spullen. Over een klein half uur zouden ze door een taxi worden opgehaald. Met Fred spraken zij en Gonda af dat ze ruim op tijd in de schouwburg zouden zijn om nog een doorloop te doen. Na een lichte maaltijd daarna was het de grote avond van de première.

'Schiet je op!' Beneden bij de trap verloor Gonda haar zelfbeheersing. Ze moesten weg en die griet stond natuurlijk voor de spiegel te frunniken.

'Ik ben bijna zover.' Elsbeth schoot haar voeten in hoge, spits toelopende pumps.

Ja, ja, dacht Gonda. Het zal wel. Elsbeth kreeg sterallures, overwoog ze met een steek van jaloezie. Ze kwam overal te laat en op haar kamer liet ze alles slingeren. De rollen waren volledig omgedraaid. Nu moest zij vragen of madam tijd had. Het was snel gegaan, zuchtte ze. Het nieuws dat Elsbeth Derksen haar pupil was en dat ze samen in een stuk stonden van Frederik Strijfaart verspreidde zich snel. Fred draaide honderd tachtig graden toen hij publicitair voordeel rook. Hij moedigde Elsbeth aan zoveel mogelijk te profiteren van haar nieuwe status. De onopvallende en eenvoudig geklede Elsbeth zoals Gonda haar leerde kennen, ontpopte zich binnen een maand tot een volwassen vrouw in korte rokjes, die zich opmaakte in uitbundige kleuren. Vooral nadat fotografen zich rond haar villa verzamelden. Het lukte sommigen zelfs om vroeg in de ochtend met behulp van een ladder over het hek te klimmen. Met een foto van Elsbeth op het omslag van een roddelblad, werd er een suggestief artikel gepubliceerd, waarbij zijzelf werd weggezet als iemand die Elsbeth in bescherming nam om er publicitair voordeel uit te halen. Meteen stuurde Fred een styliste af op Elsbeth die met haar ging winkelen en kleding voor haar uitzocht in de duurste modezaken. Een visagist gaf haar een compleet andere uitstraling.

Elsbeth genoot overduidelijk van haar nieuwe status. Iedere publicitaire mogelijkheid buitte ze uit en Gonda liet zich machteloos meevoeren. Zijzelf stond in de schijnwerpers als een moederfiguur. Tijdens repetities voelde ze zich steeds vaker door Fred en Elsbeth gebruikt. De twee voerden een paringsdans uit, waar zij de katalysator van was... Bovenaan een hoge, smalle trap moest ze in een ruim, zwart gewaad duistere gebaren maken naar het spel van Frank Wiering en Elsbeth beneden haar. Fred grijnsde alleen maar als ze er iets van zei. Elsbeth was gekleed als een jonkheer van adel. In een goudglanzend, getailleerd zijden jasje, reikte ze naar de gedaante die als in een visioen verscheen totdat zij, Gonda, van de trap daalde en haar kwam halen. Samen verdwenen ze in een nevel. Fred bedacht dat Elsbeth even later naakt moest afdalen, om zich als het ware vertroostend met de vader te verstrengelen. Ze vond het allemaal onzin. Maar goed, dat was Fred.

De trap was het enige waar ze bang voor was. Het was een steile trap met treden die naar boven toe steeds smaller werden. Ze hadden het stuk nog maar een paar keer in het volledige decor doorgenomen. Als ze maar niet viel... Onder de trap was een kil, gapend gat.

Behoedzaam pakte ze de kleerhanger van de kapstok met haar zwarte satijnen couturejurk. De jurk was aangeschaft voor haar afscheid van het toneel, en hij had indertijd een vermogen gekost. Voorzichtig, om hem niet te beschadigen, plooide ze de jurk in een kleine koffer. Ze had hem gedragen met een boa van zwanendons. Zonder de boa zou niemand de jurk herkennen, overwoog ze op de valreep. Hij was als nieuw.

'Je ziet er fantastisch uit.' Gonda keek op en zag Elsbeth de trap afkomen. 'Dat geel staat je goed.' Gonda streek over haar geel katoenen rok. Daarboven droeg ze een vaal, zwart T-shirt en een ruimvallend, donkerblauw wollen vest. Behalve de rok was het haar repetitiekleding, want tijdens repetities droeg ze nog steeds een spijkerbroek.

'Ik kleed mij later om. Maar jij denkt natuurlijk aan de fotografen. Nu contrasteren we wel heel erg. Maar goed. Alle aandacht zal toch naar jou uitgaan. Bedenk dat je kritisch zal worden gevolgd.'

Elsbeth knikte. Ze was zich ervan bewust dat ze verwachtingen had gewekt.'We hebben het er nog niet over gehad wat we doen als alles voorbij is.' Ze opende de voordeur en stapte met haar tassen naar buiten. 'Hierna hebben we nog vijf voorstellingen, en dan?'

'We kunnen niet meer terug. Het zou gek zijn als je hierna ergens anders ging wonen. Door alle publiciteit zijn we op elkaar aangewezen.'

Het vooruitzicht bij Gonda te blijven stemde Elsbeth droevig. Natuurlijk had ze de kans om door te breken met beide handen aangegrepen, maar liever stond ze na deze productie weer op eigen benen. De aandacht die Gonda opeiste ontmoedigde haar. Om de haverklap brulde ze een of ander decreet. En dan haar door drank gekleurde ontboezemingen, die ze zo langzamerhand kon dromen. Ze gingen over hoe haar huwelijk met Wim was geweest en over haar zoon, die ze miste...soms begon ze zichzelf te beklagen en wierp ze zich snikkend in haar armen.

'Of had je andere plannen?' Gonda zette haar koffer naast de tassen van Elsbeth. 'Je laat mij toch niet vallen als een baksteen na alles wat ik voor je heb gedaan.'

'We hebben het er later nog wel over.' Elsbeth wenkte de taxichauffeur en liep naar het hek. 'Laten we ons concentreren op de voorstelling.'

Langzaam, voetje voor voetje, daalde Gonda de hoge trap af. Met uiterste precisie, om haar evenwicht niet te verliezen, hield ze haar gewaad omhoog. 'Ik heb niets om mij aan vast te grijpen. Zag je niet hoe Elsbeth en ik wankelden boven. Kan je geen touw laten zakken?'

'Dat is een idee. Dat regelen we.' Fred stond opzij in de coulissen.

'Gelukkig. Hoe vonden jullie het?' Hijgend voegde Gonda zich bij Elsbeth en Frank.

'Jullie moeten meer tempo aanhouden.' Fred tikte driftig op een vel papier. 'Als het orkest inzet moet er al beweging zijn.' Hij keek naar Elsbeth en Frank. 'Ik wil dat jullie de ruimte beter benutten. Ren over de hele breedte, wees gejaagd... speel het spel van angst, met aantrekken en afstoten.' Elsbeth knikte terwijl Frederik Strijfaart met een paar grote passen het toneel verliet.

'Ik zie het nog steeds niet zo hoor.' Gonda plantte haar handen in haar zij. 'Ik vraag mij af of dit een succes wordt. Het is allemaal zo met de haren erbij gesleept...'

'Ontmoedig ons nu niet op de valreep.' Elsbeth draaide zich geïrriteerd van haar af. 'Jouw mening weten we zo langzamerhand wel. Je moet Fred vertrouwen. Als je de effecten over je heen laat komen is het overweldigend, zoals alles wat hij maakt. Een productie van de hand van de meester.'

'Ik ga mij omkleden voor een hapje eten. Als Fred een touw regelt om mij aan vast te kunnen grijpen, vind ik alles best. Ga je mee iets eten?' Elsbeth was te jong om een inhoudelijke discussie aan te kunnen, overwoog ze. Ze wist te weinig en ze was te ambitieus. Ze offerde alles op voor het korte baan effect.

'Ik wacht op Fred. Hij heeft mij uitgenodigd.'

'Ach ja, natuurlijk. De ster van de voorstelling dineert met de regisseur. Hoe kon ik mij zo vergissen.' Gonda streek over haar gewaad en liep naar de rand van het toneel. Even later liet ze haar benen bungelen over de rand en sprong ze naar beneden. 'Ik tel nog steeds mee. Wat denken jullie eigenlijk wel.' Zonder om te kijken verliet ze het podium via de zaal.

Het orkest zette in met gejaagde, onheilspellende klanken en langzaam ging het doek op. Gevolgd door een bundel licht renden Frank en Elsbeth het verduisterde toneel op, dat langzaam, als bij een opkomende zon, in een rode gloed werd gehuld. Gonda stond bewegingloos bovenaan de trap. Ze wachtte op het moment waarop ze statig de trap af moest dalen om de zoon te wenken. Ze sloot haar ogen en liet zich meevoeren door de muziek, waarbij ze zwaar in en uit ademde en zich concentreerde op haar rol. Over een paar seconden zou ze, omhuld door nevel, Elsbeth mee naar boven voeren. Langzaam, in een vloeiende beweging, spreidde ze haar armen om ze vervolgens weer te laten zakken en haar gewaad op te tillen. Ze hield haar rug zo recht mogelijk toen ze voetje voor voetje de treden aftastte en de trap afdaalde. De adrenaline loeide door haar heen en voor een kort moment wankelde ze. Een voorbode?

Halverwege de trap liet ze haar gewaad los. Ze wenkte naar

Elsbeth en Frank. Op de klanken van het lied scheurde Elsbeth zich los, en even later liet ze zich door haar naar boven voeren. Ze voelde dat Elsbeth achter haar zich gehaast ontkleedde. Nog een paar seconden, en ze zou naakt de trap afdalen.

Gonda stond verstijfd op de bovenste traptrede. Haar hart ging heftig tekeer toen ze vanuit een ooghoek zag dat Fred in de coulissen stond en een roterende beweging maakte. Heel langzaam schuifelde ze over de tree, om zich met haar gezicht naar het publiek te draaien. Ze maakte daarbij maaiende bewegingen met haar armen, vergeefs tastend naar een touw. Trillend over haar hele lichaam verhief ze opnieuw majestueus haar armen, terwijl Elsbeth naakt de afdaling inzette.

Het bleef doodstil in de zaal, lang nadat de laatste klanken van het lied waren verstorven. Elsbeth boog zich naakt over Frank en als in een paringsdans kwamen ze samen weer overeind, totdat rondom hen het licht langzaam doofde.

Gonda stond intussen als versteend bovenaan de trap. Het leek alsof ze in trance was, maar ze durfde zich niet meer te bewegen. Elsbeth had haar van de trap af willen duwen. Ze voelde duidelijk een por in haar rug toen ze samen boven stonden en Fred was het touw vergeten.

'Kan iemand mij helpen! Ik durf niet meer heen of weer.' Ze wees naar Frederik Strijfaart. Met een paar passen rende hij naar boven. Terwijl er een daverend applaus losbarstte pakte hij haar hand. Met een geforceerde glimlach liet ze zich door hem naar beneden voeren.

'Je bent het touw vergeten klootzak. Dit doe ik dus niet meer. Je kan het voor de rest vergeten.'

Frederik Strijfaart maakte een reverence, waarbij hij een wijds gebaar maakte in de richting van Elsbeth en Frank. Gonda wrong zich van hem los, en alsof ze een statement wilde plaatsen verliet ze met geheven hoofd het toneel.

Nog steeds ontdaan opende Gonda de voordeur van haar villa. Het liep tegen middernacht. Zonder afscheid te nemen was ze uit de schouwburg gerend. Op een plein stapte ze in de eerste de beste taxi die ze kon krijgen. Ze was woedend. Elsbeth gaf haar te kennen dat ze van plan was om een feestje te bouwen, en ze had haar gewoon laten staan.

Ze knipte het licht aan in de hal en smeet haar boeket op een tafeltje. Met een klap zette ze haar koffer neer. Toen ze haar jas uitdeed viel haar oog op een zwarte koffer die niet van haar kon zijn. Vreemd, dacht ze zonder er veel aandacht aan te besteden. Zou Elsbeth van plan zijn om op te stappen? Maar wat kon het haar eigenlijk schelen. Van haar mocht ze ophoepelen. Ze wist zeker dat ze op de trap een por in haar rug voelde.

In de keuken opende ze de koelkast. Zoals altijd na een première had ze razende trek en ze pakte een stuk kaas en een fles witte wijn. Elsbeth en Frank stonden haar gewoon uit te lachen toen ze niet naar beneden kon. Ze had haar nek kunnen breken, en dan waren zij ook nergens meer. Ze bekeken het maar. Als Fred geen excuus aanbood, zou ze er een rel van maken. Daar waren maar een paar telefoontjes met de pers voor nodig.

Langzaam kauwde ze op een blokje kaas, om het met een slok wijn weg te spoelen. Elsbeth had haar koffer gepakt, bedacht ze terwijl ze tot rust kwam. Ze had haar gewoon gebruikt. Met haar glas in haar hand liep ze weer naar de hal. Zou ze die vreemde koffer buiten zetten? 'Je denkt toch niet dat ik je ooit kwaad kan doen? Ik heb alles aan jou te danken.' Het lachje waarmee Elsbeth dit zei kende ze intussen. Ze palmde er iedereen mee in. Daarna was ze tussen het geroezemoes verdwenen. Later stond ze in het middelpunt van een club rondom Fred. Ze speelde het spelletje geraffineerd, dacht Gonda bitter.

Plotseling keek ze op. Het leek alsof ze geschuifel boven haar hoorde. Was er behalve haar nog iemand in huis? Zou Elsbeth eerder zijn teruggekeerd om er stilletjes tussenuit te knijpen? Opnieuw keek ze naar de koffer en voor een kort moment voelde ze de aandrang om hem te openen en de inhoud op de stoep te verspreiden. Elsbeth moest maar voelen wat zijzelf voelde. Stank voor dank.

Ze stond op het punt de koffer op te pakken toen ze voetstappen op de trap hoorde. Toen ze met een ruk overeind kwam en zich omdraaide, zag ze dat haar zoon de trap afkwam.

'Konrad! Je laat mij geweldig schrikken. Wat doe jij hier?' Gonda rende de trap op en stortte zich in zijn armen.

'Mam, niet zo heftig. Ik was op de première. We moeten praten.' Hij pakte haar hand.

'Ja, je kamer is bezet.' Gonda voelde kracht in haar stromen, omdat ze nu een bondgenoot had. 'Maar niet voor lang. Straks mag ze meteen ophoepelen. Met die dame ben ik klaar.'

Beneden pakte ze haar glas van het tafeltje in de hal en daarna liep ze naar de keuken om de fles wijn te pakken. Ze volgde Konrad naar de woonkamer.

'Kon je niet even bellen? Je bent grijs geworden, het staat je goed.' Ze opende een vitrinekast en pakte een glas.

'Wat is hier eigenlijk gaande?' Hij negeerde haar laatste opmerking. Hij vond zijn moeder schrikbarend verouderd. Haar gezicht toonde vermoeid, waarbij er rond haar mondhoeken iets van verbittering lag. Ze had haar elan verloren, overwoog hij. Frederik Strijfaart had hem gebeld, maar dat hoefde ze niet te weten. Volgens Strijfaart kreeg ze hysterische trekken. Hij had niet overdreven. Zoals ze tegenover hem zat, in een jurk waarin ze overdressed was en die te strak zat rond haar heupen... haar haren, die alle kanten opsprongen... lippen, die ze uitbundig rood had gestift...

Haar rol tijdens de première stemde hem droevig. Toen hij haar op het toneel zag had hij diep in zijn stoel weg willen kruipen. Het was een gênante vertoning en dat lag niet alleen aan de regie. Ze overcompenseerde, ze stond voor schut! Meteen na de voorstelling was hij naar de villa gegaan om een kijkje te nemen. Was zijn moeder in de war?

'Wie logeert boven? Of zijn die spullen van jou?'

'Je kan niet van mij verwachten dat ik tien jaar lang je kamer vrij hou. Je liet niets meer van je horen.' Het irriteerde Gonda dat hij geen woord over de voorstelling zei. Maar hij interesseerde zich in wezen niet voor haar, behalve wanneer hijzelf in het geding was. Dat deze man haar zoon was! Dat ze hem had voortgebracht!

'Je komt pas opdagen als ik bijna in mijn kist lig. Je hebt die trap gezien. Ik ben er bijna vanaf gedonderd. Dat meisje heb ik in huis genomen. Ze heeft praatjes gekregen. Ik heb haar gered van triviale rolletjes op televisie. Het stelde niks voor wat ze deed. Veel talent heeft ze eigenlijk ook niet. Naakt van een trap lopen kunnen we allemaal als we jong zijn. Ik heb dat nooit hoeven doen. Mij vroegen ze om mijn talent! Ze kan zo meteen opdonderen. Ze heeft mij van die trap af willen duwen.'

Konrad leunde vermoeid achterover op de bank en nam een slok wijn. Toen Gonda aanstalten maakte bij te schenken, legde hij een vlakke hand op zijn glas. Hij kende het drankgebruik van zijn moeder, met de scènes die eruit volgden. Het had hem voor de rest van zijn leven matig gemaakt met drank.

'Je bent kennelijk weer eens te ver gegaan met je grenzeloze geldingsdrang. Je had er niet aan moeten beginnen.'

'Ach, ik zag iets in haar. Het moest alleen tot ontwikkeling komen. Ze heeft mij gebruikt, meer niet.' Geagiteerd stond Gonda op uit haar stoel. 'Het scheelde een haar, of ik had mijn nek gebroken.'

'Overdrijf je niet? Je kwam een beetje raar die trap af. Dat is alles. Frederik Strijfaart begeleidde je keurig naar beneden. Morgen vertel je dat meisje dat ze iets anders moet zoeken, omdat de logeerpartij is uitgelopen op een teleurstelling. Ze zal het begrijpen.'

'Geen sprake van. We gaan naar boven en maken je kamer in orde. Ze zoekt het maar uit.' In een paar teugen leegde Gonda haar glas, en even later stommelde ze samen met Konrad de trap op naar de kamer die nu van Elsbeth was.

'Godallemachtig wat een rotzooi. En wat een muffe lucht. Dat kind heeft er een zwijnenstal van gemaakt. Dat ik haar deze kamer heb gegeven. Het is de mooiste kamer van het huis.' Ze liep naar deuren die toegang gaven tot een balkon aan de voorzijde van de villa en morrelde aan de deurkruk. Buiten, op het balkon, trok er een rilling door haar heen toen ze zag dat er voor de villa een taxi stopte. Ze greep zich vast aan de balustrade.

'Daar is ze! Kom, we wachten haar beneden op.'

'Best. Jij je zin. Er is weer drama.' Nijdig verliet Konrad de kamer om weer de trap af te roffelen. Hij stond beneden toen Elsbeth naar binnen stapte. Hoewel ze moe was en aangeschoten, lichtten haar ogen op toen ze Konrad zag staan. Hij liep naar haar toe om haar een hand te geven. Verbaasd beantwoordde Elsbeth de begroeting. Deze man zag er helemaal niet zo uit als Gonda hem afschilderde. Ze sprak over hem alsof hij een loser was en een stiekemerd bovendien, een carrièrejager in de petrochemie, die haar na de dood van Wim de Roovere zou hebben laten barsten. Zijn lange, brede gestalte in een onberispelijke smoking gaf hem iets van een goedmoedige gentleman. Hij had bruine, glinsterende pretoogjes en donker, dik golvend haar dat grijs werd bij de slapen. Zijn innemende, verlegen lach toonde een gaaf, wit gebit. Maar ach, Gonda zoog van alles uit haar duim. Haar gedrag tijdens de voorstelling was een ramp geweest. Fred kreeg na haar vertrek een woedeaanval en hij wilde de rest van de voorstellingen afblazen.

Toen ze haar tassen neerzette in de hal en aanstalten maakte Konrad naar de woonkamer te volgen zag ze Gonda. Ze struikelde bijna naar beneden.

'Geen sprake van. Jij blijft hier. Ik moet een woordje met je spreken. Mee naar de keuken jij.' Ze greep Elsbeth vast bij een arm en sleurde haar naar de keuken, waar ze haar op een stoel duwde.

'Ik ben die spelletjes van jou spuugzat. Je hebt mij de trap af willen duwen. Ik voelde duidelijk een por. Je bent mij een verklaring schuldig.'

'Moet dit nu.' Konrad was in de deuropening van de woonkamer blijven staan. 'Komen jullie allebei binnen zitten. Dat kind schrikt zich wezenloos.'

'Mens, schreeuw niet zo.' Met een hoogrode kleur sprong Elsbeth op uit haar stoel. 'Je bent lazarus. Zoals iedere avond. Ik heb je geen por gegeven. Waarom zou ik? Vanaf het begin had je geen zin in het stuk. Je reageert je mislukking op mij af.'

Gonda gaf Elsbeth een forse duw, waardoor ze wankelde en zich aan een stoel achter haar probeerde vast te grijpen. De stoel kantelde achterover, en met een klap viel ze ernaast op de grond. Voor een kort moment voelde ze een heftige pijn, die vanaf haar stuitje tot aan haar kruin door haar lichaam schoot. Ze trok krijtwit weg toen ze overeind probeerde te krabbelen. Intussen greep Gonda naar een zware, gietijzeren koekenpan op het fornuis.

'Daar! En daar, en daar.' Ze gaf Elsbeth een paar forse klappen op haar hoofd.

'Mijn God! Wat doe je? Ben je gek geworden?' Konrad rende naar de keuken, waar Elsbeth op de grond lag. Bloed sijpelde langs haar slapen. 'Ik bel een ambulance. En jij komt met mij mee.' Hij sleurde Gonda naar de woonkamer en duwde haar op een stoel. Ze leek in trance. Hij griste een plaid van de bank en rende terug naar de keuken. Behoedzaam wikkelde hij Elsbeth in de plaid, waarbij hij vluchtig over haar haren streek en fluisterde dat ze vol moest houden.

4

'U hoft dat ze nog leeft, maar het ziet er voor u niet best uit.' De politieman in de woonkamer knikte naar Gonda. 'Zeg jij dan hoe het is gegaan! Het was zelfverdediging!' Geagiteerd ijsbeerde Gonda door de kamer. Konrad keek zwijgend uit het raam. Fotografen hadden zich voor het hek opgesteld. Het was acht uur 's ochtends en hij was doodmoe. Eerst was vannacht een ambulance gekomen, samen met politie. Terwijl ze Elsbeth met een gapende hoofdwond op een brancard legden, hadden twee politieagenten hem apart genomen. Ze informeerden of Elsbeth familie was. Gonda zat intussen volkomen doorgedraaid apathisch in een stoel. Hij stamelde van nervositeit toen hij uiteenzette dat zijn moeder in een woedeaanval op haar pupil had ingeslagen. Daarna was de aandacht naar Gonda verlegd. Omdat ze in een shock leek, gaven ze hem de opdracht haar te verzorgen.

Later zou ze worden opgehaald voor een verhoor. Vermoedelijk werd ze voorlopig in hechtenis genomen voor poging tot doodslag. De agent fluisterde bij deze mededeling. Hij leefde mee met de situatie en legde een hand op zijn schouder. De hele toestand bracht Konrad terug in de tijd, toen hij als kind getuige was van de scènes tussen zijn moeder en zijn stiefvader Wim de Roovere, een ijdele man die haar alle hoeken van de kamer liet zien als hij een slechte dronk had. Gonda liet zich in die periode ook niet onbetuigd. Ze was driftig en onberekenbaar. Alles moest om haar draaien, ze elimineerde gewoon als ze niet het middelpunt was. Hoe had hij zo dom kunnen zijn terug te gaan om haar te helpen? Dat

Elsbeth haar van die trap af had proberen te duwen was een van haar verzinsels om aandacht naar zich toe te trekken. Zoals ze indertijd zijn vader zwart had gemaakt, omdat ze koketteerde met Wim de Roovere, die haar een grootse carrière beloofde. Iets wat hij gedeeltelijk waarmaakte, met een reputatie die voorgoed door schandalen was gekleurd.

Nadat de politie was vertrokken om later terug te komen, gaf hij haar een glas melk met een paar druppels uit een flesje valeriaan, dat hij boven in een kastje in de badkamer vond. Daarna was hij voor een paar uur op de bank gaan liggen.

En nu stond er in alle vroegte een gepantserde politiebus voor het hek, spoedig omringd door een horde fotografen. Het nieuws over de grote actrice Gonda de Roovere, die haar pupil na een première bijna doodsloeg, verspreidde zich snel.

De politieman kreeg assistentie. Kalm pakte een van de agenten Gonda vast bij haar schouder. Bijna met mededogen voerde hij haar naar zijn collega, die haar arm vastpakte. Statig en met geheven hoofd, liep ze zonder handboeien tussen twee politieagenten naar de politiebus, terwijl camera's van de verzamelde pers op haar werden gericht. Half verblind door een zee van flitslicht keek ze achterom, naar Konrad achter haar.

Maar toen een politieagent haar los liet om het portier te openen, begon ze te schreeuwen. Het leek alsof plotseling ten volle tot haar doordrong wat er aan de hand was. 'Zijn jullie gek geworden? Ik ben niet zomaar iemand. Ik ben Gonda de Roovere! Ik laat mij niet als de eerste de beste misdadiger opsluiten!' Ze wurmde zich los en rende terug naar de voordeur. Met een forse duw passeerde ze Konrad en achter hem langs nam ze een sprint door de hal. Ze rende de trap op. Hijgend van inspanning zwaaide ze de deur open van de kamer van Elsbeth.

Nu stond ze op het balkon. Voor een kort moment leek ze te aarzelen en daarna, met een bleek vertrokken gezicht en ogen die puilden van de koortsachtige verhitting, spreidde ze haar armen majestueus, als in de rol van schim. Ze boog zich diep over de balustrade aan de zijkant van het balkon, een paar meter boven het hek met de spits toelopende punten. Na nog een laatste schittering naar de menigte beneden haar, stortte ze zichzelf in een duikvlucht naar beneden, plat op het hek. Er klonk een ijzingwekkende kreet, gevolgd door een doffe klap.

De omstanders deinsden geschokt achteruit. In de verte klonken de sirenes van een ambulance en politiewagens. Als een ledenpop schommelde Gonda bovenop het hek, totdat ze met een tweede doffe klap naast het hek op de grond viel. Haar lichaam was besmeurd met bloed. Heel even leek ze haar hoofd op te tillen, om na een stuiptrekking het bewustzijn te verliezen.

Die avond zat Frederik Strijfaart in een televisiestudio. Hij vertelde hetzelfde wat hij die dag tegen de rechercheur had gezegd, die hem de toedracht rond de dood van Gonda de Roovere kwam vertellen, voordat hij het nieuws in alle kranten zou lezen. Natuurlijk was hij meteen naar het ziekenhuis gegaan om Elsbeth op te zoeken. Daar trof hij nota bene Konrad aan haar bed, de zoon van Gonda. Dat hij zich durfde te vertonen! Het hoofd van Elsbeth was omwikkeld met verband en haar gezicht was gezwollen, met overal blauwe plekken.

'Ze had een hysterische persoonlijkheid. Ik heb vroeger nooit met haar samen willen werken. Al voor de première maakte ze scènes. Ze moet in de war zijn geweest. Acteurs zoals zij verdragen het niet dat ze teren op oude roem. Een groot actrice. Maar eenzaam. Ook haar zoon uit haar eerste huwelijk zag ze nooit. Godzijdank heeft Elsbeth Derksen het er levend vanaf gebracht.'

Konrad zat in de villa voor de televisie. Hem hadden ze niet gevraagd, maar hij werd dan ook verondersteld in de rouw te zijn. Hij was bekaf. De hele dag had hij lopen rennen. Nadat hij Elsbeth bezocht om zich op de hoogte te stellen, waarbij hij een opgewonden Frederik Strijfaart tegen het lijf liep die weinig onder de indruk leek te zijn van het feit dat zijn moeder dood was – en nu zat die ijdele kwast onzin op de televisie te blaten – was een begrafenisondernemer langs geweest. Na een bescheiden afscheidsceremonie zou ze in besloten kring worden gecremeerd, wat betekende dat alleen hijzelf erbij zou zijn, naast wat diehards van haar oude kring en misschien wat verre verwanten die hijzelf allang was vergeten. In overleg met Frederik Strijfaart, die bij het ter sprake brengen van haar teraardebestelling opeens wel meelevende belangstelling toonde, werd er gekozen voor een "open einde", zoals hij het noemde. Er zou een aankondiging in de krant komen, en wie wilde kon afscheid nemen. Prominente figuren en hoogwaardigheidsbekleders werden immers na het drama dat aan haar kleefde niet verwacht.

In een archiefkast had hij een handgeschreven krabbeltje aan het theaterinstituut gevonden. Alles moest daarheen, omdat ze hem had onterfd. Hij was in de lach geschoten. Ze moest het in een vlaag van razernij hebben opgetekend. Hij had het papier versnipperd en in een prullenbak gegooid. Morgen had hij een afspraak met de notaris. Hij zou de villa verkopen. Zelf ging hij hier in ieder geval niet wonen. De lucht in dit huis was hem teveel bezwangerd met haar aanwezigheid en met zijn ongelukkige jeugd.

Elsbeth, schoot door hem heen. Wat moest hij doen om haar schadeloos te stellen? Hij zou de villa kunnen onderbrengen in een stichting voor aankomend talent... Hij zou het noodlot een positieve wending kunnen geven. Twee vliegen in één klap.

Half geconcentreerd op de televisie, waarop Frederik Strijfaart nog steeds over Gonda de Roovere aan het oreren was, bedacht hij dat de naam van zijn moeder moest voortleven in een stichting, waarover haar pupil de scepter zou zwaaien. Op deze manier zou iedereen van blaam worden gezuiverd. Elsbeth kreeg het beheer over een fortuin en haar toekomst werd zeker gesteld.

'Villa Hermance van Gonda de Roovere.' Het was alsof hij Frederik Strijfaart van repliek diende toen hij opstond en de televisie uitzette. De villa zou worden vernoemd naar haar laatste grote rol.

5

'Op deze plek heeft Gonda de Roovere zich over het balkon gestort.' Elsbeth liep samen met Carolien Helmert naar het balkon in de kamer waar zijzelf ooit in verbleef, maar die nu in twee kamers was gesplitst. In totaal konden er zes gasten in de villa verblijven. Van de woonkamer was een ontvangstruimte gemaakt, met een klein podium voor huiskamervoorstellingen.

Elsbeth opende de balkondeuren en stapte naar buiten. Iedere rondleiding van een nieuwkomer besloot ze met het beroemde balkon. In dit speciale geval kreeg Carolien ook deze kamer. Ze was in haar element. Van een timide, aankomend actrice was ze uitgegroeid tot een zelfverzekerde zakenvrouw die de rechterhand was van Frederik Strijfaart, de regisseur van naam die weliswaar avances maakte, maar nooit succes bij haar boekte omdat ze niet op hem viel. Het vervallen tuinhuis was speciaal voor haar verbouwd tot een comfortabele woning naast de villa, met een eigen ingang via de nieuwe omheining rond de tuin. Ze had zich een positie verworven, en dat vervulde haar met trots.

'Als het hier maar niet spookt. Gonda de Roovere was een krachtige persoonlijkheid. Wie weet dwaalt haar ziel hier rond.' Carolien Helmert ging naast haar staan en wreef over haar blote armen, alsof ze het koud had. Het was dat een verblijf in de villa haar kansen vergrootte en ze in de buurt was van Fred, voor het overige vond ze de geschiedenis met Gonda de Roovere doodeng. Ze had indertijd de schokkende foto's in de krant gezien, en wie sprak er toen niet over? Tot het uiterste getergd had ze zich in een duikvlucht van het balkon gestort, bovenop een hek waarvan de spiesen haar lichaam doorboorden. Ze boog zich over de balustrade en monsterde de schutting. Na het ongeluk was het hek verwijderd. Er was een houten schutting voor in de plaats gekomen, waarbij meteen de omheining werd verplaatst. Het balkon bood nu uitzicht op een grasperk, met eronder een strook rulle aarde. Ze overwoog dat je weliswaar een klap maakte als je naar beneden stortte, maar je hield er vermoedelijk alleen maar een paar kneuzingen aan over.

'Een krachtige persoonlijkheid aan de drank.' Elsbeth lachte vriendelijk naar Carolien. 'Vroeger was ze imposant. Hier is ze afgezakt.'

'Het is een tragische geschiedenis.' Carolien liep weer naar binnen en ging op het bed zitten. Ze vond dat Elsbeth respectloos sprak over Gonda de Roovere, die een onuitwisbare indruk op haar had gemaakt. Ze wilde net als zij ooit schitteren in de klassieken en net als Gonda vroeger had ze weinig op met Frederik Strijfaart, al kon niemand om hem heen. 'Ik ben geëngageerd voor Nina in de Meeuw. Gonda was indrukwekkend als Arkadina. Ik bekijk alle oude opnames.'

Met een steek van jaloezie keek Elsbeth opzij naar Carolien. Het was alsof ze zichzelf hoorde praten tegen Gonda. Ook zij bewonderde haar ooit in de Meeuw, maar zijzelf had nooit de kans gekregen zich in dit stuk te bewijzen.

'Ik wist niet dat de Meeuw in productie ging. Wie is de regisseur? Je hebt het niet genoemd in je aanvraag.'

'Ik dacht dat je het al wist van Fred.' Carolien schrok omdat de toon van Elsbeth plotseling scherp was. 'Het wordt een productie van Fred. Hijzelf zal Konstantin zijn, een primeur. Het is een van de redenen waarom hij pas in een latere fase publiciteit wil genereren. Ze zullen het beschouwen als een comeback, en dat wil hij niet.'

'Zo, zo.' Elsbeth ging peinzend naast Carolien zitten. 'Vreemd.'

'Fred wilde het je zelf vertellen. Hij is het natuurlijk vergeten.'

Met een geforceerde glimlach veerde Elsbeth op van het bed. Carolien hoefde niet te merken dat ze kookte van woede. Fred, die altijd uitriep dat ze zijn vertrouweling was, passeerde haar voor een aankomend actrice, die zich nog nergens in had bewezen. Hij wist hoezeer ze begeerde de rol van Nina te krijgen in de Meeuw. Wilde hij haar op deze manier duidelijk maken dat ze voor hem had afgedaan?

'Het is natuurlijk gebruikelijk dat ik weet wat er speelt. Anders kan ik niet anticiperen op wat er binnenkomt.' Ze zei het luchtig, alsof het haar maar half interesseerde.

Carolien knikte opgelucht. Ze wilde niet in moeilijkheden komen omdat ze Elsbeth Derksen had gepasseerd. Ze moest aan haar carrière denken.

'Kom, genoeg gepraat.' Elsbeth pakte de hand van Carolien en trok haar overeind. 'Ik stel je aan de anderen voor.'

'Ik kom meteen naar je toe. Je hebt het verkeerd begrepen. Ik heb juist je gevoelens willen sparen.' Nerveus wreef Frederik Strijfaart met zijn voet over een been. Het telefoontje van Elsbeth kwam ongelegen omdat het zijn enige vrije dag was. Juist stond hij op het punt om het er in de stad van te nemen, toen zijn mobiele telefoon overging. Krantje, koffie, lunch... Hij zuchtte.

'Prima. Ik wacht wel. Want dit kan natuurlijk niet. Ik stond gewoon voor schut.' Elsbeth was benieuwd hoe Fred zich eruit zou kletsen. Meteen nadat ze Carolien had geïnstalleerd in de ontvangstruimte tussen de anderen, was ze naar haar tuinhuis gerend. Fred wist dat ze ernaar verlangde een rol in de Meeuw te krijgen als het stuk in productie werd genomen. Ze eiste opheldering. Carolien had haar nog losjes verteld dat

Jetty de Windt voor Arkadina was gevraagd, een actrice die nota bene net als Gonda indertijd op haar retour was. En net als Gonda kwam ze uit de stal van Jacques van Waveren. Werd hij er misschien weer goed voor betaald? Hij zou haar met smoesjes proberen te bewerken, maar ze zou niet wijken. Hij moest haar een rol in de Meeuw geven.

Nadat ze het gesprek met Fred had beëindigd, rende ze naar haar slaapkamer. Ze opende haar klerenkast en pakte een zijden, doorzichtige zwarte blouse, een strak T-shirt met een laag uitgesneden hals en een kort rokje. Daarna rende ze naar de douche.

Terwijl ze haar lippen felrood kleurde en ze zichzelf besprenkelde met *fuel for life unlimited*, de lievelingsgeur van Fred, hoorde ze zijn auto over het grint knarsen. Ze gleed in hoge pumps met een tijgerprint en tevreden bedacht ze dat hij meteen naar haar toe moest zijn gekomen.

'Lieverd, ik ben meteen in de auto gestapt.' Met een geforceerde grijns stapte Frederik Strijfaart bij Elsbeth naar binnen. Hij had de sleutel, dat sprak vanzelf als je dag en nacht moest samenwerken om de boel op poten te krijgen. Maar hij had er genoeg van en hij bereidde zich voor op een pittige confrontatie. Hij vond het gedoe rondom de villa te bewerkelijk geworden. En de aanhankelijkheid van Elsbeth begon hem te benauwen. Zoals nu weer. Hij deed eens iets zonder haar daarin te kennen, en meteen trok ze aan de bel. Zo goed was ze bovendien niet meer. Ze sloofde zich teveel af met haar gasten en maakte zich te vaak druk om niets. In het theater viel eigenlijk niet meer met haar te werken omdat ze zich slecht voorbereidde en ze zijn autoriteit niet meer aanvaardde.

'Dat zal wel.' Elsbeth gaf hem vluchtig drie zoenen. Intussen heb je mij in verlegenheid gebracht. Je bent mij een verklaring schuldig.'

'Ik had het je zelf willen vertellen.' Frederik Strijfaart trok haar naar zich toe. 'Je weet dat ik jou nooit zonder meer zal passeren. Ik heb een zwak voor je.'

'We moeten er rustig over praten. Niet op deze manier. Ik ben geen kuikentje dat je met gevlei kan afpoeieren.' Ze wurmde zich los en liep naar de keuken.

Ze vulde het reservoir van een koffiezetapparaat met water en schepte koffie in de filter. 'Doe nou niet zo afstandelijk', riep Fred die achter haar was aangelopen. Moeten we serieus praten bij een kopje koffie?'

'Je hebt mij iets uit te leggen Fred.' Elsbeth draaide zich naar hem toe. 'Ik vraag mij af waarom je mij buiten spel hebt gezet.'

'Schat, er is geen sprake van dat ik je buiten spel zet. Dat kom ik je juist vertellen.'

'Dat hoor ik dan graag.'

'Laten we een ritje maken en uit eten gaan. Er zijn zoveel manieren om te praten. Ik heb je veel te vertellen, maar dan liever op een relaxte manier.'

Abrupt deed Elsbeth een stap opzij. Ze zette twee bekers op de keukentafel. Daarna pakte ze Frederik Strijfaart vast bij zijn schouders. 'Dit is toch waar het tussen ons over gaat?' Zachtjes drukte ze zich tegen hem aan. 'Je wil mij hebben, maar kan mij niet krijgen. We kunnen ook in bed verder praten.'

'Je schat mij te laag in.' Frederik Strijfaart pakte haar hand en trok haar mee naar de woonkamer. 'Zet dat nare koffiezetapparaat uit en trek je jas aan. Ik zal het je uitleggen, maar niet op deze manier.'

Lang, heel lang had hij inderdaad naar haar lichaam gesnakt. Ooit vroeg hij haar alleen daarvoor, want ze was een alledaagse, doorsnee actrice met weliswaar een leuk snoetje en een strak figuur, maar met weinig body. Karakterrollen zou ze nooit aankunnen. Maar na het drama met Gonda de Roovere vond hij haar veranderd. Het leek alsof ze zichzelf de plaats die Gonda ooit opeiste had toegeëigend, zeker nadat ze het beheer over de stichting kreeg. Haar prestaties waren hierdoor niet bijzonder gegroeid, maar moest hij haar dit plompverloren zeggen? Natuurlijk was ze teleurgesteld toen ze hoorde dat hij haar niet over de Meeuw had ingelicht. Op een naïeve manier hoopte hij dat ze hieruit haar conclusies zou trekken. Ze had immers ook zelf haar aandachtsgebied naar management verschoven, alles om de naam van Gonda de Roovere in ere te houden...

Nadat ze in zijn Porsche Cabrio waren gestapt, manoeuvreerde hij de auto langzaam uit de parkeerplaats voor het tuinhuis van Elsbeth. 'Je zet de laatste tijd meteen alles op scherp. Wat is er nu helemaal aan de hand? Ik heb de Meeuw in productie genomen en daar heb ik geen ruchtbaarheid aan willen geven, anders zit de kritiek op mijn dak, nog voordat ik het geheel heb uitgewerkt.' Hij naderde een afslag naar een snelweg en gaf gas. 'We gaan lekker uitwaaien op het strand bij Bergen. Je moet je niet overal zo druk over maken. Misschien wordt de combinatie management met acteren je teveel.'

'Dat is het niet Fred.' Elsbeth legde een hand op zijn knie. 'Je bent de laatste van wie ik verwachtte dat je mij zou passeren. Waarom heb je mij niet gevraagd? We zouden er iets moois van kunnen maken. Je weet al heel lang dat de Meeuw mijn lievelingsstuk is.

'Juist daarom. Na de tragedie met Gonda zou het je teveel aangrijpen.' Frederik Strijfaart minderde vaart en voegde zich in op de rechterrijstrook, om een afslag te kunnen nemen naar een provinciale weg.

'Bullshit.' Elsbeth rommelde in haar handtas en haalde een pakje sigaretten tevoorschijn.

'Kan je niet wachten met die peuk?' Hij maakte een wuivend gebaar om de rook te verspreiden. Het irriteerde hem dat ze een sigaret opstak. De stank zou nog dagenlang in zijn auto blijven hangen. Elsbeth zweeg en nam een trek van haar sigaret. Ze inhaleerde diep, om daarna met een grote puf rook uit te blazen. Hij kon de pot op. Ze wist dat hij er een hekel aan had wanneer er in zijn auto werd gerookt. Maar ze was kwaad en dan had ze een sigaret nodig.

'Nu ja, ik zal er niet meer omheen draaien.' Omdat ze een tractor met aanhangwagen naderden minderde hij vaart. Ze kropen nu vooruit in een slakkengang van veertig kilometer per uur. 'Ik heb je niet gevraagd omdat ik je contract niet zal verlengen. Ik heb mijn buik vol van stichting De Roovere, hoe tragisch ook, en van je redderen daaromheen. Je bent gewoon niet goed meer.'

'Je hebt mij niet in bed gekregen zal je bedoelen.' Elsbeth opende de asbak in de auto. Driftig drukte ze haar sigaret uit. Daarbij zakte ze onderuit in haar stoel, waardoor haar rok omhoog kroop en haar slanke benen tot aan haar dijen zichtbaar werden. Frederik Strijfaart reed nu tergend langzaam, en voor een kort moment keek hij opzij.

'Je was kwaad toen Gonda mij in huis nam. In zeker opzicht nam ze mij in bescherming. Ze wist dat je mij in bed wilde krijgen.'

'Op dat niveau wens ik niet te converseren. Je was beloftevol, net als Carolien Helmert nu. In no time heb je echter je kansen verspeeld. Je hebt je naam verbonden aan Gonda de Roovere en jezelf daarmee ongeloofwaardig gemaakt, zeker na alles wat er is gepasseerd. Je begint op haar te lijken. Je eigent jezelf een eenzame positie toe, reageert rancuneus en je voelt je boven iedereen verheven. Er valt niet meer met je te werken.' Ongeduldig trommelde hij op het stuur. Plotseling gaf hij een ruk naar links en drukte hij het gaspedaal in. In volle vaart passeerde hij de tractor en terwijl hij zich weer invoegde, lukte het hem om op het nippertje een tegenligger te ontwijken.

Hij parkeerde de auto op de boulevard bij het strand van Bergen aan Zee en Elsbeth opende het portier en stapte uit. Ze hadden het laatste stuk er naartoe zwijgend naast elkaar gezeten. Het kon haar eigenlijk niet zoveel meer schelen wat er verder nog besproken zou worden. Fred maakte haar duidelijk dat hij haar liet vallen, daar zou ze weinig meer aan kunnen veranderen. Dit uitje was bedoeld om haar te sussen, meer niet.

'Ik ben overigens verbaasd dat uitgerekend jij de Meeuw in productie hebt genomen.'

Samen waren ze op het eerste het beste beschutte terras van een strandtent gaan zitten, en schijnbaar achteloos bestudeerde Elsbeth de menukaart. Nu Fred haar diep had beledigd, zou ze het bloed onder zijn nagels vandaan halen. 'Het is meer een stuk voor Jacques, wat moet je ook altijd met die man als je niks in hem ziet? Je krijgt de laatste tijd overigens nogal vaak negatieve publiciteit. Je zou vastgeroest zijn in een voorspelbaar stramien, met steeds hetzelfde spektakel. Zelfs de performance van de Erlkönig is met de grond gelijk gemaakt. Iemand noemde het een verzinsel, ontsproten aan een gefrustreerde geest. En dat niet in de minste krant. Je hebt vooral Gonda de Roovere willen uitdagen, en mij daarvoor gebruikt. Indirect is het jouw schuld dat ze mij aanviel. Ze voelde dat je haar voor schut zette. Dát is het confronterende theater waar je zo van houdt. Zelf blijf je altijd buiten schot. Je ziet jezelf als een godheid boven alle partijen. Jij zal wel even vertellen hoe de mensheid in elkaar zit.'

Frederik Strijfaart zweeg. Ze moest uitrazen omdat ze de pest in had. Hij wenkte een ober en zonder Elsbeth te raadplegen bestelde hij twee glazen rode wijn met een portie bitterballen. Daarna schoof hij geïrriteerd zijn menukaart opzij. Prima dat ze kwaad was, maar hij liet zich niet als een peuter afserveren.

'Ik voel mij niet verantwoordelijk voor de hysterie van Gonda de Roovere. Ze heeft mij een smak geld gekost. Vier voorstellingen moesten worden afgelast, en dan heb ik het nog niet over het hele drama eromheen.'

'Je hebt er publicitair voordeel uitgesleept. Je kon de televisie niet aanzetten, of je kop was in beeld.'

'Zo is het welletjes.' Frederik Strijfaart pakte het glas wijn dat de ober voor hem neerzette. Hij nam een paar grote slokken. 'Je neemt straks maar de bus naar villa Hermance van Gonda de Roovere. We zijn klaar met elkaar. Eerst probeer je mij te verleiden, terwijl je me nota bene beschuldigt van seksuele avances, dan ben ik een regisseur op zijn retour en tot besluit heb ik ook nog eens Gonda laten verongelukken. Je bent van alle verplichtingen aan mij ontheven. Je hoort nog van me.' Hij nam nog een slok wijn en griste naar zijn autosleutels. Na wat gerommel in zijn broekzakken smeet hij een tien eurobiljet op tafel, stond op en beende weg.

Verbijsterd pakte Elsbeth een bitterbal. Ze had alles verwacht, een hele tirade desnoods, maar niet dat hij haar zomaar liet zitten. Ze besloot zich niet te laten kennen. Nu ze toch bij het strand was, zou ze een wandeling maken en pas daarna een bus terugnemen. Misschien was het wel goed dat Fred was opgestapt. Na het drama met Gonda was hun contact nooit meer echt vertrouwelijk geweest, hoezeer ze ook haar best had gedaan.

De productie van de Erlkönig met het orkest was een flop, en hij vond dat zij daar medeschuldig aan was. Waarschijnlijk wilde hij haar op haar nummer zetten en passeerde hij haar alleen daarom.

Ze stapte vanaf het terras op een vlonder. Hoewel het niet koud was stond er een stevige wind en terwijl ze haar jas dichtknoopte schoof ze uit haar pumps. Met haar pumps in haar hand liep ze naar de kustlijn.

Was het waar wat Fred zei? Had ze nooit haar naam aan die van Gonda moeten verbinden? Bracht ze haar naam in diskrediet door zich op het terrein te vestigen van het drama, waar ze bovendien bij betrokken was? Ze overwoog dat ze haar taak misschien over moest dragen om zich weer volledig aan haar toneelcarrière te kunnen wijden. Anderzijds maakte ze zich waarschijnlijk onnodig zorgen. Fred wilde haar kwetsen omdat hij haar nooit in bed had gekregen. Carolien Helmert was misschien zijn nieuwe vlam. Hij had behoefte aan mensen om zich heen die hem onvoorwaardelijk gehoorzaamden. Dat deed zij natuurlijk niet meer na alles wat er was gebeurd. Ze had zijn gedrag indertijd tegenover Gonda gênant gevonden, al durfde ze er toen niets over te zeggen. Hij had haar welbewust uit haar tent gelokt. Ze schaamde zich ervoor. Goed, zijzelf was ook te ver gegaan en Gonda had haar behoorlijk toegetakeld. Maar haar sprong van het balkon was een wanhoopsdaad, omdat ze zich in het nauw voelde gedreven. De rol van Fred in dit alles was fataler dan hij in wilde zien.

Ze naderde een andere standtent met een pad naar boven, en even later stond ze weer op de boulevard. Op haar horloge zag ze dat het tegen zessen liep. Als het haar lukte een bus te pakken, zou ze over ruim twee uur bij de villa zijn. Plotseling werd ze weer woedend op Frederik Strijfaart. Krankzinnig dat hij haar hier achterliet. Hij was een grote egoïst. Als er iets werd gezegd wat niet in zijn straatje paste, ging hij er vandoor.

Terwijl ze naar een bushalte slenterde ging haar mobiele telefoon over. Nerveus grabbelde ze in haar tas. Zou het Fred zijn? Had hij spijt? Stond hij misschien ergens op haar te wachten? Toen ze een paar seconden later haar naam noemde hoorde ze de stem van Carolien.

'Waar zit je?'

'Voorlopig in de buurt van Bergen aan Zee. Ik moet hier

vandaan zien te komen, maar weet even niet hoe. Is er iets wat ik voor je kan doen?'

'Er is iets met Frederik Strijfaart. Een auto-ongeluk. Een politieagent vroeg naar je.'

'Tjezus! Leeft hij nog?'

'Dat weten we niet. Je moet zo snel mogelijk komen.'

Elsbeth verbrak de verbinding. Verdoofd liep ze naar de strandtent die ze even daarvoor was gepasseerd. Ze bestelde een flesje mineraalwater en informeerde naar taxi's. Met trillende handen pakte ze het flesje Spa dat voor haar werd neergezet. Voor een kort moment borrelde er een venijnig gevoel van triomf in haar omhoog. Het scheelde een haar, of ze had op de terugweg naast hem gezeten! Zij leefde nog, hij misschien niet meer. Ze kon met haar carrière nog alle kanten op.

Een uur later stapte Elsbeth de ontvangstruimte van de villa binnen. Carolien sprong op toen ze Elsbeth zag. 'Hij is dood. Het was op het journaal.' Voor een kort moment voelde Elsbeth zich duizelig worden. Het leek alsof ze flauw zou vallen. Maar ze herstelde zich en samen met Carolien liep ze naar de anderen. Ze stond op het punt om op de bank te ploffen, toen opnieuw haar mobiele telefoon overging. 'God, daar zal het beginnen. De hel breekt los.' Met driftige passen liep ze naar de serre.

'Bent u op de hoogte van het ongeluk van Frederik Stijfaart?' Ze hoorde een mannenstem, die zich meteen daarop introduceerde als politieagent. 'Hij is frontaal op een vangrails gebotst en daarna in een sloot terechtgekomen. Alles zat potdicht. We hebben ons uiterste best gedaan, maar het was te laat.'

'Ik hoorde het. Het is verschrikkelijk.'

'We moeten u helaas meedelen dat hij is overleden. Uiteraard is zijn familie bij hem.

Volgens onze informatie was u samen met hem onderweg. Schikt het als we langskomen? We zitten met een paar vragen.'

'Prima. Als ik u daarmee kan helpen. U moet beseffen dat ikzelf op een haar na aan de dood ben ontsnapt. Ik sta te trillen op mijn benen. Frederik Strijfaart hield van risico's.'

Carolien heeft dus gekletst, bedacht Elsbeth nadat het telefoongesprek was beëindigd. Waarschijnlijk zag ze haar vanaf het balkon vertrekken. Was ze bezorgd, of gewoon nieuwsgierig?

'De politie wil mij spreken. Ik ben de laatste die Fred levend heeft gezien. Puur toeval dat ik niet naast hem zat in de auto toen het gebeurde.' Ze ging naast Carolien op de bank zitten.

'Wat vreselijk voor je. Kan ik iets voor je doen?' Carolien legde een arm om haar schouder. Als door een wesp gestoken schudde Elsbeth haar van zich af. 'Je bemoeit je met zaken die je niet aangaan. Je kan je boeltje pakken en opdonderen. Je wist dat ik weg was met Fred. Dat heb je aan de politie doorgegeven voordat je mij belde. Je wist ook dat Fred mij een rol in de Meeuw wilde geven. Je zoekt het verder maar uit. Hier ben je niet meer welkom.'

'Als je het zó opvat.' Carolien kreeg een hoogrode kleur. 'Ja, zo vat ik dat op. Ik wil je hier niet meer zien.'

'We bespraken een nieuwe productie waar Fred nog geen ruchtbaarheid aan wilde geven. 'Ik zou zijn tegenspeelster worden. We gingen naar een plek buiten het circuit om een en ander te bespreken. Ik was zijn rechterhand ziet u. Hij vertelde dat hij nog een afspraak had. Ik wilde nog even blijven.'

'U heeft geluk gehad. U had ook in de auto kunnen zitten.' Een van de politieagenten knikte.

'Dat heb ik ook bedacht. Het is de tweede keer dat ik aan de dood ontsnap.' Elsbeth maakte een wuivend gebaar omdat ze het gesprek als beëindigd beschouwde. Ze stond op en liep naar de voordeur. 'Fred en ik waren erg op elkaar gesteld. Ik zou de rol van Nina krijgen in de Meeuw van Tsjechov. We verheugden ons op deze productie.' Ze sloeg haar ogen neer en stapte naar buiten. Op dat moment keek ze naar boven, naar het raam van de kamer aan de voorzijde van de villa. 'In een onbezonnen bui had hij die rol aan een ander gegeven. Zo kon hij zijn. Spontaan en onbezonnen. Er zijn mooie producties uit voortgekomen, maar het is zijn dood geworden. Soms nam hij onverantwoorde risico's.'

Toen de agenten haar naar buiten volgden keek ze nog één keer omhoog. Morgen belegde ze een persconferentie. Zij ging de Meeuw doen. En niemand anders.

De eretribune

1

'Vroeger werd ik gevraagd. Ik had geen kaart nodig, dat moet je toch weten', zei Isabel met een zuinige blik naar Rosa. Wat dacht ze wel, hier voor haar toonbank met kaarten leuren. Het was gewoon een belediging hoe ze daar voor haar stond met haar mandje. Boodschappen haalde ze nooit bij haar. Met haar dochter Anna, net zo'n lelijkerd als zij – moest je Rosa nou zien staan in haar versleten schort met haar schommelkont en haar haren die in kleine krulletjes rond haar bolle ogen waren gepermanent – ging ze naar de grote supermarkt buiten het dorp, waar ze alles voordelig kon inslaan. Zij was goed genoeg voor wat kleine boodschapjes en over haar roddelen natuurlijk, dat had ze allang door. Praatjes genoeg voor die afgeleefde krengen. Iedere zondag zaten ze op de voorste rijen in de kerk vroom naar de nieuwe, jonge priester te lonken, het was gewoon een schande hoe ze zich met een vochtige blik voor goede doelen aanboden en zijzelf, zij moest geld betalen om te kunnen zitten als de parade voorbijkwam!

'Dat was toen', antwoordde Rosa gelaten. 'Nu moet je een kaart kopen.' Onwillekeurig wreef ze zich over haar blote armen, alsof ze het koud had. Het liep tegen het middaguur, de zon stond al hoog. Ze moest zich haasten. Vincente hield er niet van als hij moest wachten na een dag waarin hij om vijf uur 's ochtends was opgestaan omdat er zoveel mogelijk van de oogst naar de coöperatie moest worden gebracht. Nu kregen ze nog goede prijzen voor hun sinaasappels en citroenen, verder in het seizoen moest hij met borden aan de kant van de weg staan om de rest te verkopen, samen met de potten mispels, die ze inmaakte van de oogst later in het seizoen.

Ze was blij dat ze een grote moestuin hadden, waardoor ze in ieder geval eten op tafel kon zetten. Want veel brachten hun mispels niet meer op, sinds er landarbeiders waren gekomen die grote, uitgestrekte terrassen hadden aangelegd. Door teeltselectie waren hun mispels groter en zachter van smaak, waardoor ze voorrang kregen en betere prijzen konden bedingen.

'Geef mij dan maar acht chorizo en een pak bloem', zei ze kwaad omdat Isabel haar met een blik van afkeuring aan bleef staren. Alsof het haar schuld was dat ze kaarten voor zitplaatsen moest verkopen. Wat verbeeldde Isabel zich bovendien? Vroeger, ja vroeger was ze een schoonheid en menige keren was ze Santa Barbara op de praalwagen, maar dat was lang geleden, misschien bijna dertig jaar. De meesten in het dorp herinnerden zich dat niet meer. Isabel keek zeker nooit in de spiegel. Net als zijzelf liep ze tegen de vijftig. Ze hadden nog met elkaar op school gezeten bij meester Sobatera met de kromme rug en de stok die hard kon slaan.

Toen al was Isabel met haar volle, donkere haren en haar amandelogen het koninginnetje van de klas die de meester om haar vingers wond. Zijzelf niet, o, nee, ze was een mollig meisje waar niemand naar omkeek en bovendien thuis strak werd gehouden. Geen sprake van dat ze met jongens opliep, zoals Isabel deed. En kijk wat er van haar terecht is gekomen met dat kind! Ze had nog steeds een goed figuur, dat moest Rosa haar beslist nageven, maar boven dat jeugdige lichaam had ze een door de zon getaand, rimpelig gezicht, ze verfde haar haren, dat wist iedereen en er werd gezegd dat ze valse tanden had.

'Ik koop geen kaart', zei Isabel besluitvaardig. Ze pakte een mes om acht chorizo af te snijden. 'Als ik geen zitplaats krijg blijf ik weg. Het is een schande!'

'Het is langer dan dertig jaar geleden', zei Rosa terwijl ze een kaart afscheurde en hem op de toonbank legde. 'Je zoon is al dertig. Binnenkort gaat hij trouwen.' Met een driftig gebaar schoof Isabel de kaart van de toonbank. 'Hoe durf je mij de les te lezen', riep ze met handen die beefden van een plotseling opkomende woede. 'Juan heeft niks te maken met een zitplaats bij de grote parade.'

Rosa bukte zich om de kaart op te rapen en stopte hem terug in haar mand. 'Dan niet', zei ze terwijl ze haar portemonnee tevoorschijn haalde. 'Je moet het zelf weten. Ik zit niet in de commissie.'

'Juist', antwoordde Isabel gedecideerd. 'Maar de vader van mijn schoondochter Teresa wel. Ik ga er werk van maken.'

Ieder jaar hetzelfde, mopperde Isabel nadat Rosa haar winkel had verlaten. Maar deze keer laat ik het er niet op zitten. Wat denken ze wel? Mij aan de kant schuiven, puh! Ze streek haar schort glad en liep naar het achterste gedeelte in de winkel. Hier stonden een keukentafel met een plastic, gebloemd blauw tafelkleed, twee stoelen en een grenenhouten buffetkast waar een televisie op stond die de hele dag schetterde. Als er geen klanten waren zat ze hier, bij de televisie met nieuws, shows en spelletjes, maar deze keer was haar rust verstoord. Ieder jaar kwamen de grote feesten om de oogst en de dorpsheilige te vieren en ieder jaar kwamen ze langs om zitplaatsen te verkopen. En dat terwijl ze vroeger jarenlang in het middelpunt had gestaan. Met alle strijkages, alsof het om haar hand ging, kwamen afgevaardigden van de commissie bij haar vader smeken, ja smeken, of ze weer Santa Barbara wilde zijn op de grote praalwagen. Minzaam stemde hij toe, want een schoonheid was ze, alsof het Gods wil was waaraan hij moest gehoorzamen. Ze was het mooiste meisje van het dorp, met haar volle bos donker haar waar tijdens de feesten een kroon van goud en parels op werd gezet, haar grote, donkere amandelogen en haar brede, sensuele lach.

'Isabel is niet van ons', werd al vanaf haar kindertijd gefluisterd. 'Ze is van God.' Anderen die het minder goed met haar voor hadden brachten er tegenin dat ze van de duivel was. 'De duivel verleidt ons met Isabel', zeiden ze dan. 'God is barmhartigheid.' Triomfantelijk schudde ze haar haren los als het haar ter ore kwam. Ze zouden nog eens zien in het dorp. Zij ging niet net als haar moeder haar rug slijten achter de toonbank van de kruidenierswinkel, want zij was een schoonheid. Ze zou ontdekt worden en naar de grote stad gaan. Was ze niet al in het dorp ontdekt door Tomas van de fotografiewinkel? Hij had haar gefotografeerd in het kostuum van Santa Barbara en het portret levensgroot in de etalage gezet.

Ze opende een la van het buffet en pakte een blocnote met lijntjespapier en een pen. Ze zou een brief schrijven aan de commissie. In haar winkel moest het maar eens afgelopen zijn met de kaartverkoop voor de feesten. Ze was niet zomaar iemand. Ze had invloed. Juan trouwde met Teresa Fernandez en haar vader zat in de commissie. Daarbij was Juan niet de eerste de beste! Ze had hem goed opgevoed, het had hem aan niets ontbroken. Hij had gestudeerd in de grote stad en nu was hij gemeentesecretaris. Het zou Teresa aan niets ontbreken.

Als zij, Rosa, geen ereplaats kreeg toegewezen, zou ze voortaan wegblijven. Wat verbeeldden ze zich wel? Vroeger waren de feesten zonder haar niet doorgegaan! Bij de intocht van de praalwagen zat ze hoog op de plaats van de dorpsheilige in een ruim gewaad met goudgalon. Het blaasorkest paradeerde met de trommelaars voor de wagen uit. Trots en minzaam wuifde ze naar de omstanders, die rijen dik langs de weg stonden.

Vanaf haar vijftiende was ze vijf jaar achter elkaar gevraagd, nog nooit daarvoor en daarna werd een meisje uit het dorp zo vaak gekozen. Ieder jaar was het weken van tevoren al een drukte van belang, want zij was de koningin van het feest dat drie dagen duurde. Na de grootse intocht op de praalwagen volgde er een rituele ontvangst van de oogst, die de boeren voor haar voeten legden. Daarna vormde ze het middelpunt van een mis die aan Santa Barbara werd opgedragen. Het sprak vanzelf dat zijzelf een ereplaats had vlakbij het altaar. Daarna braken er feesten los die drie dagen en nachten duurden tot de slotparade, waarbij ze vanaf het balkon van het gemeentehuis bloemen op het dorpsplein strooide. En nu vroegen ze ieder jaar of ze een kaart wilde kopen om langs de kant van de weg een zitplaats te bemachtigen. Puh, het was een misstand waar een eind aan moest komen.

Ze schoof aan de keukentafel en pakte de balpen die ze gebruikte om bestellingen te noteren. Het blocnote met lijntjespapier lag voor haar. Ze streek een paar pieken haar naar achteren en boog zich over het blocnote.

'Geachte commissie', schreef ze geconcentreerd. 'Mijn Juan gaat binnenkort trouwen met Teresa, de dochter van het geachte lid Fernandez.' Op dat moment hoorde ze de winkelbel. Ze zuchtte, hees zich overeind en liep weer naar de toonbank.

'Wat vind jij daar nou van', zei Rosa bij de wasplaats. Ze kwam daar net als de andere vrouwen van landarbeiders een keer in de week met een groot stuk zeep en een emmer met vuile werkbroeken, om ze bij de wasplaats uit te boenen. Het was een plaats die in ere werd gehouden, omdat er nieuwtjes werden uitgewisseld.

'Madam voelt zich te goed om een kaart te kopen', vervolgde ze terwijl ze met een stuk zeep driftig op het boord van een overall boende. Haar handen waren week en rood door het koude water. 'Ze zei dat ze er werk van zou maken. Juan trouwt met Teresa Fernandez en haar vader zit in de commissie.'

'We weten precies hoe lang het geleden is', antwoordde Maria met een venijnige twinkeling in haar ogen. 'Juan is nu dertig, iets ouder dan jouw dochter Anna. Dan is het dertig jaar en negen maanden geleden dat ze wegliep.' Ze wierp haar hoofd in haar nek en schaterde met een wijd opengesperde, tandeloze mond.

'Ze zegt dat ze een ereplaats wil', zei Rosa met haar handen in haar zij. 'Ieder jaar begint ze erover.'

'Fernandez weet toch ook wat er toen is gebeurd?', zei Maria terwijl ze haar handen doelloos in het koude water liet glijden, alsof ze zich geneerde en afkoeling zocht. 'Ze ging naar de grote stad en negen maanden later werd Juan geboren. Van wie weten we nog steeds niet!'

'Bij de film zou ze gaan', zei Rosa. 'Ik weet het nog precies. Ineens was ze vertrokken.'

'Tijdens de feesten', vulde Maria aan. Ze pakte een werkbroek uit haar emmer en gooide hem met een plons in het water. 'Ik wist het', vervolgde ze. 'Voordat het feest begon vertelde ze dat ze ontdekt was. Niemand mocht weten dat ze naar de grote stad ging. Ik heb haar nog gewaarschuwd.'

'Ineens was ze er vandoor', herhaalde Rosa. 'Er was een man met een camera die de intocht filmde. Met hem is ze meegegaan. Zomaar. Ze zei altijd al dat ze ontdekt was, dat was niks bijzonders.'

'Ik heb geen man met een camera gezien', antwoordde Maria. 'Ze is er gewoon vandoor gegaan.'

'Haar vader heeft haar teruggehaald', vervolgde Rosa. Ze boog zich naar Maria. 'Ze zeggen dat ze haar lichaam verkocht', fluisterde ze. 'Juan is een hoerenzoon.'

Met een ruk strekte Maria haar rug. 'Het is veel erger', antwoordde ze met priemende oogjes. 'Haar vader heeft haar weggehaald bij een engeltjesmaker. Anders was Juan niet geboren. Ze leefde in zonde.'

Geschokt deed Rosa een pas achteruit. 'Als Isabel een ereplaats krijgt, blijf ik weg', riep ze. 'We moeten Fernandez inlichten. Zijn dochter trouwt met een hoerenzoon!'

'Ssst...', suste Maria met haar tandeloze mond. Ze schudde haar hoofd. 'Het is lang geleden... Juan kan voor zichzelf kiezen. En Isabel heeft genoeg geleden. Niemand wil met haar omgaan. Jij toch ook niet?' Ze keek schuin opzij naar Teresa.

'Ben je mal! Het is dat ik voor kaarten in haar winkel moest zijn', antwoordde Rosa.

'Ze moet het zelf weten', besloot Maria. 'Als ze naar de commissie stapt komt ze in de problemen. Maar het zijn onze problemen niet.'

'Precies', antwoordde Rosa terwijl ze over haar schort streek. 'Ik heb genoeg aan mijn hoofd.' Ze pakte haar volle emmer met het natte wasgoed, en begon aan de terugtocht naar huis. Ze pufte in de hitte en zwaar ademend pauzeerde ze een aantal keren voordat ze aan de klim begon.

Samen met Vincente woonde ze in een huis buiten het dorp, in de glooiing van berghellingen waarop zich plateaus met mispelbomen uitstrekten. Hun huis werd omringd door sinaasappel- en citroenbomen. Drie kinderen hadden ze samen gekregen, alleen hun dochter Anna woonde nog thuis. De zonen, Antonio en José, waren getrouwd. Antonio was automonteur geworden en werkte in de garage van het dorp, José woonde met zijn vrouw niet ver bij hen vandaan in de bergen. Hij was een restaurant begonnen voor toeristen, maar als het moest hielp hij zijn vader op het land.

Het lot van Isabel was haar bespaard gebleven, dacht Rosa terwijl ze zich bukte om haar emmer neer te zetten. Toen ze met een zucht overeind kwam wiste ze zweet van haar voorhoofd. En God verhoede dat haar Anna iets dergelijks overkwam. Dit jaar werd ze dertig, maar er kon van alles gebeuren tegenwoordig. Dat zag je maar aan Isabel. Gelukkig had Anna het nooit hoog in haar bol gehad en als het eens gebeurde dat ze zich illusies maakte, dan had zij haar Anna altijd tot de orde geroepen. Natuurlijk droomde ieder meisje, dromen had zijzelf immers ook gehad. Een man trouwen die van je hield, ontsnappen aan het eentonige leven op het land, het waren verlangens die ieder meisje in het dorp koesterde. Later kwam daar nog de televisie bij met films over meisjes in de grote stad die baadden in weelde.

Anna had hersens, misschien was dat haar redding, overwoog Rosa terwijl ze de emmer weer oppakte en aan de berghelling begon. Ze begreep dat het leven niet zo was als op televisie. Van jongsaf kon ze goed leren. In de grote stad had ze gestudeerd en nu leidde ze de dorpsschool. Haar hersens hadden haar voor veel ellende behoed. Getrouwd was ze nog niet, misschien kwam dat nog. Al leek ze er geen haast mee te maken. Goed, er waren weleens vrijers, soms kwamen ze zelfs over de vloer als het langer dan twee weken duurde, maar op de een of andere manier blies ze de verkering af als een jongen vastigheid wilde. Ze was een mooie slanke meid met grote, groene ogen en dik, donker haar waar een slag in zat – heel anders dan zijzelf die als kind gepest werd vanwege haar mollige figuur en loensende ogen – maar een vrouw had jaren die begonnen te tellen, heel anders dan een man hield ze Anna voor als ze weer eens een aanbidder de deur had gewezen. In het dorp zeiden ze dat ze een schooljuf was die verbeelding had, en zich te goed voelde voor de mannen uit het dorp. Maar zij verdedigde haar als de vrouwen er op de wasplaats over begonnen.

'Wanneer gaat jouw Anna trouwen', zeiden ze suikerzoet. 'Ze wordt een blauwkous. Maar ja, Pedro Gonchez is natuurlijk beneden haar stand. Stel je voor dat ze de vrouw van een bakker wordt!'

'Liever een blauwkous dan dat ze zich vergooit aan de eerste de beste die haar achterna loopt', zei ze soms om de vrouwen hun mond te snoeren. Ze wisten waar ze op doelde. Uit angst om over te blijven waren de meesten aan hun eerste vriendje blijven plakken. Zijzelf niet, en daar was ze trots op. Vincente had officieel haar hand gevraagd. Nota bene zonder dat ze met hem liep! Ze had hem lang laten wachten. Goed beschouwd was Anna net zo kieskeurig als zijzelf was geweest.

Puffend liep ze het laatste stuk over het kiezelpad naar huis. Vincente zou er al zijn, het liep tegen de avond, hij wilde vast eten. Anna zou laat thuiskomen, wist ze. Ze ging met een vriendin naar een film in de stad.

'Waar bleef je zo lang', zei Vincente toen ze naar binnen stapte. 'Zag ik je weer met een emmer sjouwen? Mens, stop dat goed toch in de wasmachine!'

'De wasmachine gaat kapot als ik je goed erin stop met modder en kiezels', antwoordde Rosa. Zo lang we getrouwd zijn ga ik naar de wasplaats, dus waar zeur je over!'

'Om te kletsen, daarvoor ga je naar de wasplaats', vervolgde Vincente. 'Nergens anders voor. We hebben al tien jaar een wasmachine. Als je het uitspoelt is er niks aan de hand.'

'Dat kost mij teveel water', repliceerde Rosa. 'Bemoei jij je maar met de oogst. Waar is José?'

'José komt niet eten vanavond. Hij moest naar boven. Toeristen uit Madrid.'

'Dagjesmensen', zuchtte Anna. 'Die verteren niet veel.' Ze liep naar de keuken en opende de koelkast.

'Ik maak een omelet', zei ze besluitvaardig. 'We zijn toch maar met zijn tweeën. Anna is met een vriendin in de stad.'

'Kotelet', antwoordde Vincente terwijl hij een krant opzij schoof. 'Ik eet geen brood omdat jij bij de wasplaats hebt staan kletsen.'

Anna bukte zich en haalde een pakje uit de koelkast waar vier koteletten in zaten. Ze legde het op het aanrecht. Daarna pakte ze een paar tomaten van een schaal.

'Kotelet', zei ze kortaf terwijl ze een koekenpan pakte.

'Zei je dat Anna in de stad is', informeerde Vincente even later. Tevreden snoof hij de geur op van de sissende karbonades in de koekenpan. 'Het wordt tijd dat ze aan de man komt. Ik kan wel hulp op het land gebruiken. Een gewone, flinke vent. Als ze het niet zo hoog in haar bol had zitten, kon ik het nu wat rustiger aan doen. Op José kan ik ook niet altijd rekenen.'

'Je bedoelt dat ze met die halvegare landloper Gaspar had moeten trouwen', antwoordde Rosa onderkoeld. Ze pakte twee uien van een schaal en een snijplank.

'Helemaal geen halvegare en helemaal geen landloper. Een stevige, nette vent die van aanpakken weet. We waren bijna rond als Anna niet had tegengesputterd.'

'Bijna rond, puh. Hij liep haar achterna als een kwispelende reu en daar was ze niet van gediend.' Met kleine, driftige hakbewegingen sneed Rosa de uien in stukken. 'Anna trouwt met wie ze wil. Misschien wel met een professor.'

'Ze wordt te oud. Straks is het te laat.'

'We kunnen er niet allemaal vroeg bij zijn. Anna bewaart haar maagdelijkheid voor de man die ze zelf heeft uitgekozen', besloot Rosa. 'Ze is niet zoals de vrouwen uit het dorp, die de eerste de beste nemen omdat ze bang zijn dat ze overblijven. Behalve Isabel natuurlijk, met haar hoerenzoon.'

'Wat zeg je daar!', riep Vincente. Met een ruk schoof hij zijn stoel naar achteren. 'Isabel was een prachtmeid. Iedereen wilde haar hebben.'

'En iedereen heeft haar gekregen', antwoordde Rosa. Ze legde een rond, plat brood op de keukentafel.

'Je bent jaloers.' Vincente pakte het broodmes dat Anna voor hem op de tafel had gelegd. Hij sneed een plak van het brood en nam een hap. 'Isabel stak boven iedereen uit', vervolgde hij kauwend. Het is dat ze zwanger was toen ze terugkwam...' Van schrik verslikte hij zich en begon hij te hoesten.

'Anders...', zei Rosa met haar handen in haar zij. Ze ging wijdbeens naast Vincente staan, klaar om hem een klap te verkopen. Wat dacht hij wel?

'Tja', mompelde Vincente nadat hij een slok water had genomen. Hij lichtte zijn pet op en krabbelde op zijn hoofd.

'Heb je het met haar gedaan', zei Rosa toen ze tegenover elkaar zaten. 'Met wie?' Vincente sopte een stuk brood in de jus van de karbonades. Hij slobberde het brood naar binnen.

'Isabel, heb je het met haar gedaan? Had je haar willen hebben?'

'Wie wilde haar niet hebben. Ze was iets speciaals. Een felle tante ook.' Rosa zuchtte en besloot het onderwerp te laten rusten.

'Isabel wil geen kaart kopen', zei ze plotseling omdat ze het toch niet kon uitstaan dat Vincente haar ontweek. 'Ze voelt zich te goed omdat ze vroeger Santa Barbara was. Nu gaat ze de commissie schrijven omdat Juan trouwt met Teresa Fernandez.'

'Ze mag op mijn schoot komen zitten', antwoordde Vincente met een schalkse blik. 'Dat is ook een ereplaats.'

'Nu luister je eens', antwoordde Rosa met een driftige klap op de tafel. 'Weet je wat ik gehoord heb? Isabel ging in de stad naar een engeltjesmaker.' Ze sloeg een kruis. 'Door haar vader is Juan ter wereld gekomen. Als haar vader er niet was geweest...' Met een dramatisch gebaar sloeg ze haar handen voor haar gezicht.

'Dat is lang geleden', antwoordde Vincente kalm. 'Nu werkt Juan op het gemeentehuis en hij gaat trouwen met Teresa, een keurig meisje. Isabel is genoeg gestraft. Ze is altijd alleen gebleven.'

'Ga haar nog verdedigen', riep Rosa. Ze stond op om koffie te zetten. 'Ze voelde zich overal te goed voor, maar vergooide zich aan de eerste de beste omdat madam in de filmwereld terecht zou komen. Puh, film op haar rug zal ze bedoelen.'

'Ik verbied je om zo over Isabel te praten. En voortaan gebruik je maar de wasmachine. Dat geklets bij de wasplaats doet je geen goed.'

'Dan zet je ook maar je eigen koffie.'

Alle mannen waren hetzelfde, dacht Rosa toen ze buiten stond om het natte wasgoed uit te slaan en aan de waslijn te hangen. Als het om hun eigen vrouw en dochter ging bewaakten ze als terriërs hun kuisheid, bij andere vrouwen namen ze het niet zo nauw. Het zat haar dwars dat hij geen antwoord gaf op haar vraag of hij misschien niet ook met Isabel had gevreeën. Het wekte haar achterdocht dat hij Isabel verdedigde.

Vincente was vroeger een knappe man, het verbaasde haar indertijd dat hij haar vroeg. Ze werd immers zelden gevraagd... Misschien dat ze hem daarom zo lang had laten wachten. Ze geloofde niet echt dat hij verliefd op haar was, en ze wilde niet uit medelijden gevraagd worden. Een volle bos haar had hij en kleine, fijne krulletjes.

Ze wreef over haar schort en ging op een bankje bij het huis zitten. Als hij lachte, wat hij vroeger veel deed – nu mopperde hij alleen nog maar dat het allemaal te veel werd en hij stonk als ze er niets van zei – lachte hij een mooi, regelmatig gebit bloot. Veel meisjes in het dorp vielen op hem. Waarom dan niet ook Isabel? Hij had een slank, soepel en gespierd lichaam, dat ze natuurlijk pas in volle glorie zag nadat ze getrouwd waren. Had ze niet toen al van tijd tot tijd gedacht dat het een raadsel was waarom juist hij haar achterna had gelopen?

'Onzin', mompelde ze terwijl ze een vlieg rond haar hoofd wegsloeg. Vincente was een nette, degelijke jongen geweest toen hij haar vroeg. En zo lelijk was ze ook weer niet, al lieten de jongens haar links liggen.

‘Waarom heb je mij eigenlijk gevraagd’, zei ze toen ze weer binnen stond. Vincente zat in zijn luie stoel in de woonkamer naast de open haard, waarin ze tijdens zomeravonden, wanneer het sterk afkoelde in de bergen, een knapperig vuur van mispeltakken brandden. Hij ritselde met de krant en ging verzitten.

‘Tja, dat weet ik niet meer hoor.’ Peinzend wreef hij over zijn stoppelbaard. ‘Je was een leuke meid.’

‘Leuke meid, puh, dat heb je me anders nooit gezegd.’

‘Moet dat dan?’ Met een ruk stond Vincente op.

‘Je zeurt mens. Waar pieker je over? We zijn bijna dertig jaar getrouwd.’

‘Ik kon goed werken, dat was het. Je had iemand nodig voor op het land.’

‘Nu hou je op. Het komt allemaal door dat wijvengeklets.’

‘O, ja, wijvengeklets? Waarom krijg ik geen antwoord als ik vraag of je iets met Isabel hebt gehad?’

‘Omdat je niet aan mijn kop moet zeuren. Daarom. En nu heb ik er genoeg van.’ Met grote passen liep hij naar de keuken en even later hoorde Rosa een enorme klap van de deur naar de binnenplaats.

Teleurgesteld ging Rosa in de stoel van Vincente zitten. Misschien had hij gelijk. Piekerde ze over niks. Isabel zei ieder jaar dat ze geen kaart wilde kopen. Dat was bekend. Alleen stapte ze nu naar de commissie.

Ze stond weer op en liep naar een grote spiegel in een vergulde lijst, die ze van haar ouders had geërfd. De spiegel hing nu aan de muur in de woonkamer, boven een groot, notenhouten buffet dat ze ooit samen met Vincente aanschafte. In deze kamer, met de spiegel en het buffet, aten ze als de hele familie na de hoogmis bij elkaar kwam om Kerstmis of Pasen te vieren.

‘Vincente heeft gelijk’, mompelde ze toen ze voor de spiegel stond. We zijn al grootouders. Ze zette haar bril af en deed een pas naar voren, waardoor haar neus bijna de spiegel raakte. Peinzend bestudeerde ze haar bleke, bolle wangen, haar grijze gepermanente krullen die bijna waren uitgegroeid, haar smalle mond die nog zo zelden krulde in een lach en haar ogen, die altijd een beetje op steeltjes leken te staan, met grote, bruine pupillen.

'Een werkpaard, dat had hij nodig', mompelde ze.

'Wat ben jij aan het doen', hoorde ze plotseling achter zich. Het was Anna. Met een ruk draaide Rosa zich om.

'Ben je er al?'

'Het was een waardeloze film. We zijn eruit gelopen. Alleen maar oorlog en geweld. Wat doet papa buiten? Hebben jullie ruzie gemaakt?'

'Ach, het is niks. Ik ga chocola maken.' Rosa liep langs Anna naar de keuken en haalde uit de koelkast een pak melk tevoorschijn.

'Het ging over Isabel', zei ze toen Anna weer achter haar stond. 'Ze wil geen kaart kopen voor de grote parade en je vader zegt dat ze gelijk heeft.'

'Isabel? Ze koopt toch nooit een kaart?'

'Ja, maar nu gaat ze er werk van maken.'

'Nou, als jullie daar ruzie over maken...' Anna schoof een stoel naar achteren en ging aan de keukentafel zitten. Rosa klopte intussen met een garde een mengsel van cacao en suiker door de melk, die ze in een steelpan op het vuur had gezet.

'Hoe zat het eigenlijk tussen jou en Gaspar', veranderde ze plotseling van onderwerp. 'Van zijn moeder hoorde ik dat jullie verliefd waren. Waarom is het niks geworden?'

'Dat weet je toch', antwoordde Anna. Voorzichtig, om haar vingers niet te branden, pakte ze een van de kommen chocolademelk die Rosa op de keukentafel had gezet. Een landbouwbedrijf is niks voor mij. Hij wilde niks anders.'

'Wie wilde niks anders', zei Vincente in de openstaande keukendeur.

'Gaspar', zei Rosa kortaf. 'En doe de deur achter je dicht. Het is koud.'

'Je dacht zeker ik kan iets beters krijgen', vervolgde Vincente terwijl hij de keuken binnenstapte. 'Ik had het er nog over met je moeder. Wanneer word je wijs en ga je trouwen?'

'Ik heb gezegd dat Anna haar hart moet volgen', zei Rosa vinnig. Ze was nog steeds kwaad omdat Vincente was weggelopen toen ze vroeg waarom hij haar ooit had gevraagd. 'We zijn niet allemaal zo uitgekookt als jij. Jij wil een schoonzoon als werkpaard. Anna kan je niks schelen.'

'Jullie moeten ophouden', zei Anna. 'Gaspar is met Carmen getrouwd en niet met mij. Als ik ga trouwen laat ik het jullie wel weten.'

'Zo, zo', mompelde Vincente. 'Vrijers liggen niet voor het oprapen. Je wordt een blauwkous.' Hij pakte een kom chocolademelk en begon te slurpen. 'Ik ga naar boven', vervolgde hij. Met een klap zette hij zijn kom terug op de keukentafel. 'Dat wijvengeklets kan ik toch niet volgen.'

'Waarom maken jullie je zo druk over Isabel', zei Anna nadat Vincente de keuken had verlaten. 'Ze doet niemand kwaad. Als ze geen kaart wil kopen voor de parade is dat haar zaak.'

'Ze gaat er dit keer werk van maken', antwoordde Rosa gelaten. 'Juan trouwt met Teresa Fernandez. Haar vader zit in de commissie.'

'Teresa Fernandez? Ik wist niet dat die twee iets met elkaar hadden.'

'Juan is een hoerenzoon', fluisterde Rosa. Ze boog zich naar Anna. 'Isabel was vroeger niet te houden, ze ging met iedereen. Daar weet jij natuurlijk niks van. Ze kan nu wel de madam uithangen die schitterde tijdens de grote parade, het is haar ondergang geworden.'

'Jullie moeten niet zo kletsen.' Anna had een hoogrode

kleur gekregen. Ze schoof haar stoel naar achteren en stond op. 'Morgen is het weer vroeg dag. Ik moet gaan slapen.'

'Best, laat mij maar zitten. Je vader wil ook al niet luisteren. Isabel ging naar de stad en negen maanden later had ze Juan. En nu wil ze een ereplaats.'

'Wat kan het je schelen. Juan is goed terechtgekomen en nu is Isabel oud. Je bent jaloers. Jij bent nooit gevraagd voor de parade, ik trouwens ook niet. Ik zou niet eens willen. Drie dagen tussen zuipend volk in zo'n raar kostuum.'

'Ja, jij voelt je overal te goed voor.'

'Dit heeft geen zin', besloot Anna. 'Je hebt ruzie gemaakt met papa en nu zoek je ruzie met mij. Ik ga slapen.'

'Anna, vind je mij lelijk?', vroeg Rosa gedecideerd. 'Je vader liep mij achterna omdat ik goed was voor het werk. Niet omdat hij verliefd was.' Ze sloeg haar handen voor haar gezicht. 'Hij wil geen antwoord geven als ik het aan hem vraag.'

'Een moeder vraagt niet aan haar kinderen of ze mooi is.' Anna liep naar Rosa en sloeg een arm rond haar schouder. 'Voor haar kinderen is een moeder mooi. Jullie zijn bijna dertig jaar getrouwd. Papa kan daar geen antwoord op geven.'

'Isabel is in ieder geval een lelijk wijf', zei Rosa opgelucht. Ze vond dat Anna gelijk had. Natuurlijk wist Vincente niet meer wat hij indertijd voor haar voelde. Het was zo lang geleden. Zijzelf wist immers ook niet meer wat ze voor hem had gevoeld. Ze maakte zich onnodig druk, en dat kwam door Isabel. 'Ze zeggen dat ze valse tanden heeft!'

'Jullie moeten haar met rust laten', zei Anna op de berispende toon die ze gebruikte als ze haar leerlingen tot de orde riep. 'Als het waar is wat over Juan wordt verteld is ze genoeg gestraft.'

2

'Juan, je moet mij helpen', zei Isabel. Ze zaten aan de keukentafel achter de winkel. 'Je weet dat ze ieder jaar met kaarten komen leuren. Ik wil een eretribune. Je moet er werk van maken bij Fernandez.'

'Mens, wat kan het je schelen.' Juan keek op de klok aan de muur boven het buffet. Het liep tegen elf uur in de avond. Tegen zijn voornemen in was hij bij zijn moeder blijven eten, hoewel hij van plan was geweest haar een kort bezoek te brengen om haar te vertellen dat de verloving met Teresa was afgeblazen. Als je het een verloving mocht noemen. Afgelopen winter waren ze een paar keer samen uit geweest. Hij ontkende beslist niet dat hij verliefd was, anders had hij haar niet gevraagd. Maar dat was vooral omdat haar ouders zo aangedrongen. En ze was geen slechte partij. Beslist niet. Hij besefte dondersgoed dat hij een bastaardzoon was van een vrouw die haar leven sleet in een kruidenierswinkel, terwijl Teresa een dochter was van Fernandez, de landeigenaar. Een slechte partij was hij niet omdat hij gemeentesecretaris was, maar het nieuws over een verloving met Teresa Fernandez had vooral zijn moeder rondgebazuind, nog voordat hij er zelf van overtuigd was dat hij met haar wilde trouwen. Want hoewel haar ouders aandrongen op serieuze bedoelingen van zijn kant, hadden ze hun verloving nog niet officieel bekrachtigd.

En nu had hij de omgang met haar beëindigd. Hij zag haar niet als zijn toekomstige vrouw. Ze was grillig, verwend en ze koketteerde met de mannen die ze kon krijgen.

Met een zucht stond hij op. Hij kon het niet gebruiken dat zijn moeder zeurde over een eretribune. Hij had wel iets anders aan zijn hoofd. Anna, schoot door hem heen. Ze deed hem meer dan hij voor zichzelf wilde bekennen. Gisteravond was hij Anna tegen het lijf gelopen, juist toen hij moe en met zijn ziel onder zijn arm onderweg was naar huis. Ze hadden samen iets gedronken in het café, hoewel ze allebei wisten dat het praatjes zou geven. Hij nam het risico graag. Het was voorbij met Teresa en Anna had hem uit zijn neerslachtigheid bevrijd.

'Ik kan niets voor je doen', zei hij zacht. Hij legde een hand op de schouder van Isabel. Door de gedachte aan Anna had hij spijt van zijn uitval.

'Ik heb gebroken met Teresa. Fernandez zal je zeker geen ereplaats op een podium willen bezorgen.'

'Dat komt er ook nog bij. Waarom in Godsnaam. Alles met Teresa was in kannen en kruiken. Ze is een goede partij. Je moet het goedmaken. Maar het kan je natuurlijk niks schelen. Laat je moeder maar weer voor schut staan.'

'Ik zal een goed woordje voor je doen in de gemeenteraad', besloot Juan. 'Misschien vinden anderen ook dat er een eretribune moet komen.'

'Dat is het. Waarom heb ik daar niet eerder aan gedacht? Ik heb Fernandez helemaal niet nodig. Hij is maar gewoon commissielid. Ik zoek het hogerop!'

'Als dat is wat je wil...'

'Ja, dat wil ik.' Met een ruk stond Isabel op. 'Ze geven mij maar eens de plaats waar ik recht op heb.'

Nadat Juan afscheid van zijn moeder had genomen en weer buiten stond, besloot hij niet rechtstreeks naar huis te gaan, maar nog een wandeling te maken. Het bezoek aan zijn moeder had hem veel inspanning gekost en bovendien liet de gedachte aan Anna hem niet los. Teresa kon hem eigenlijk nog maar weinig schelen. Het was een vergissing geweest zich met haar in te laten. De laatste keer dat hij met haar was uitgegaan, zag hij haar ineens voor zich hoe ze zou zijn na een paar jaar huwelijk. Ze zou uitzakken na haar eerste kind, misschien wel dik worden. En haar drukke, koketterende gedrag zou kijven worden. Dat was het moment waarop hij besloot niet met haar te willen trouwen.

Anna was heel anders, mijmerde hij terwijl hij langs een brede, geasfalteerde weg het dorp achter zich liet. Hij sloeg een zijpad in, dat spoedig zou overgaan in een kiezelpad langs de terrassen met mispelbomen. De meesten hadden een net over hun plantage gespannen, waardoor neerslag en gretige vogels de oogst niet konden vernietigen. Door de netten vormden de plantages met mispelbomen grote, witte vlekken op plateaus tussen de bergen.

Hoe kwam het dat Anna hem nooit eerder was opgevallen? Misschien omdat ze les gaf op de dorpsschool. Ze ging door voor een schoolfrik. Hij groette haar slechts vluchtig in het voorbijgaan en had haar onbewust geclassificeerd als een vrouw die niet begerenswaardig was. Ze was een dochter van Rosa en Vincente, die teruggetrokken leefden op hun plantage, al kende hij hun zonen goed. Met José had hij op school gezeten en nu bezocht hij van tijd tot tijd zijn restaurant in de bergen. Met Antonio had hij soms te maken als hij zijn auto naar de garage bracht. Hij was nooit een persoonlijke vriend van hen geworden, maar hij was ze dankbaar gebleven omdat ze het voor hem opnamen als hij werd gepest omdat niemand wist wie zijn vader was. Ondenkbaar dat hij in die periode met Anna omging...

Vreemd dat ze nooit was getrouwd, overwoog hij terwijl hij aan een klim begon langs een pad dat voerde naar een weg aan de andere kant van het dorp. Plotseling stond hij stil. Onbewust liep hij in de richting van het huis van Anna. Haar ouders en misschien ook zijzelf zouden schrikken als hij midden in de nacht hun erf op kwam lopen. In de verte zag hij licht branden.

Hij besloot niet af te dalen, maar zijn route te vervolgen. Hij zou zo ongemerkt mogelijk het huis van Anna passeren, en voorbij de terrassen het pad naar beneden nemen. Daar deed hij niemand kwaad mee. Tegelijkertijd besloot hij haar de volgende dag op te zoeken om een afspraak te maken.

Puffend liep hij verder omhoog, in de richting van het licht. Toen hij opnieuw pauzeerde om zich te oriënteren, zag hij dat het licht bewoog en in sterkte toe en afnam, zoals bij een olielamp. Direct daarop onderscheidde hij een gestalte die zijn richting op leek te komen. Te beduusd om nog actie te kunnen ondernemen bleef hij staan, om zich vervolgens met een begroeting kenbaar te maken.

'Hallo, ik ben het, Juan!'

'Jij?', hoorde hij de stem van Anna. 'Wat doe jij hier? Ik schrok mij dood toen ik iemand de berg op zag komen. Hier komt nooit iemand rond dit tijdstip. Er zou iets kunnen zijn met de kinderen.'

'Ik wilde nog even lopen', antwoordde Juan toen hij hijgend voor haar stond. Hij zette zijn handen in zijn rug en rekte zich uit. 'Misschien geen goed idee. Ik realiseerde mij plotseling dat ik je kant opliep.' Bij het lichtschijnsel van een zaklantaarn zag hij dat ze een wit nachthemd droeg, met losjes er overheen een grote, grijze wollen omslagdoek. Aan haar blote voeten droeg ze slippers.

'Heb ik je ouders wakker gemaakt?' Anna schudde haar hoofd. Ze rilde. Maar even later liet ze een brede glimlach zien, waardoor de eerste rimpels rond haar grote, groene ogen zichtbaar werden.

'Ben je nog steeds van streek omdat het uit is met Teresa? Wil je een glas melk?' Het was de onderzoekende toon die ze ook op school gebruikte.

'Je ouders?', informeerde Juan.

'Ze slapen.' Bij het lichtschijnsel van de zaklantaarn liep Juan achter Anna naar de binnenplaats van het huis.

In de keuken observeerde Juan zwijgend Anna terwijl ze melk in twee kommen schonk en een koektrommel pakte.

'Heb jij nooit gedacht aan trouwen', zei Juan. Hij sopte een wafel in de melk en nam een hap.

'Ach...' Ze zuchtte en ging naast hem zitten. 'Ik weet het niet. Je moet een doorzetter zijn. En dat ben ik niet. Als het serieus wordt haak ik af.'

'Misschien ben ik ook wel zo', mompelde Juan. Hij nam een slok melk. 'Ik heb geen goed voorbeeld meegekregen', vervolgde hij.

'Je bedoelt je moeder, Isabel. Ze heeft je alles gegeven. De mensen in het dorp oordelen meteen zo hard.'

'Vroeger werd ik gepest. Je broers deden daar niet aan mee.' Juan leunde nu achterover in zijn stoel en in een verstrooid gebaar streek hij even over haar donkere haren.

'Mijn moeder was vroeger net zo knap als jij. Dat je nog steeds niet getrouwd bent.'

'Kom, het is laat.' Anna stond op. 'Je bent sentimenteel.'

'Nee, Anna, ik meen het. Ga je morgen met mij uit eten?'

'Misschien.' Ze liep naar de keukendeur en gebaarde naar Juan dat het tijd was om te vertrekken.

'Ik bel je nog', zei ze toen hij voor haar stond. Het zal praatjes geven.'

'Praatjes, ach wat.' Hij trok haar naar zich toe en zoende haar vol op haar mond. 'Je bent een mooie meid', vervolgde hij nadat hij haar had losgelaten. 'Een gezonde kerel wil met je uit eten.' Met een schaterlach stapte hij vervolgens naar buiten, de duisternis in.

'Vincente! Jij hier? Is Rosa ziek?' Vanachter de toonbank draaide Isabel zich verrast naar Vincente.

'Ik was in de buurt en Rosa wil hier niet meer komen.'
'Zo?'
'Is het waar dat je haar een grote mond hebt gegeven?'
'Ieder jaar komen ze met kaarten leuren voor de grote parade. Ik heb er genoeg van.'
'Daar kan Rosa niks aan doen.'
'O, nee?'
'Dit jaar was zij aan de beurt.'
'Kom je om mij te beledigen, of heb je iets nodig?' Isabel plantte haar handen in haar zij.
'Ik heb waspoeder nodig. Dat wijvengeklets bij de wasplaats moet maar eens afgelopen zijn.'
'Wat je zegt. Daar ben ik anders nooit bij.'
'Jij hebt ook geen mannengoed te spoelen.'
'Nou moet je eens goed luisteren. Ik was een mooie meid, dat vond jij toch ook, Vincente?
Al ben jij natuurlijk keurig getrouwd.'
'Je kon wat beters krijgen, zei je.'
'Heb je mij dan ooit gevraagd?' Isabel had nu een hoogrode kleur. 'Je hebt mij gewoon laten zitten.'
'Genoeg gehoord Isabel. Geef mij nu maar een pak waspoeder, en dan is het basta.'

Met driftige passen kwam Isabel achter de toonbank vandaan. Even later bukte ze zich voor een plank met wasmiddelen. 'Rosa mag natuurlijk niks weten', vervolgde ze. 'Daarom wil je haar bij de wasplaats weghouden. Anders wordt erover gepraat.'

'Na dertig jaar? Jullie kletsen maar.' Vincente haalde zijn portemonnee uit zijn broekzak tevoorschijn. 'We zijn allemaal jong geweest, maar op een keer is het afgelopen.'

'Ik had kansen in de stad. Hier kon ik nergens heen. Jullie hebben mij nooit vergeven dat ik weg ben gegaan. Wacht maar. Ik heb nog steeds mijn contacten. Ik heb in tijdschriften gestaan, bezocht feesten, als ik niet zwanger was geworden...'

Ruw duwde Isabel een pak waspoeder in de handen van Vincente.

'Nu doe ik niets meer aan mijn uiterlijk. Maar dat betekent niet dat ik lelijk ben geworden. Jouw Rosa kan nog steeds niet aan mij tippen.'

'Als ik jou was zou ik niet zoveel praatjes hebben. Je hebt aan je vader te danken dat je hier weer terecht kon. Het had heel anders kunnen lopen.'

'Je hebt het kind nooit erkend Vincente. Ik kan nog steeds mijn bek opentrekken als ik dat wil.'

'Nu is het genoeg.' Vincente smeet drie euro op de toonbank en liep naar de deur. 'Je was een griet die voor het grijpen lag. Juan kan van iedereen zijn die over je heen is gegaan.'

Isabel sloeg haar handen voor haar gezicht. Ze sloeg een kruis. 'Ik zweer bij God dat het kind van jou is', zei ze met tranen in haar ogen. 'En nu opdonderen met je waspoeder.'

'Juan moet bij Anna uit de buurt blijven.' Vincente hief zijn arm, alsof hij op het punt stond om Isabel een klap te geven. 'Je weet waar ik het over heb.'

'Dat weet ik dondersgoed en nu wegwezen. Anna is een blauwkous. God verhoede dat Juan iets in haar ziet. Ze zijn broer en zus.'

'Ik waarschuw je.' Vincente liep weer naar voren en boog zich over de toonbank.

'Juan heeft wel iets anders aan zijn hoofd.' Isabel streek over haar haren. Ze deed een pas naar achteren.' Hij trouwt niet met de dochter van een landarbeider. Hij kan iets beters krijgen.'

'Net als jij zeker.' Met grote passen verliet Vincente de winkel.

3

Langzaam ontwaakte Isabel uit een diepe, droomloze slaap. Soezend rekte ze zich uit en keek ze op de wekker naast haar bed. 'Half zes', mompelde ze. 'Nog even.' Ze draaide zich op haar zij. Maar ze kon niet meer in slaap komen. Onrustig woelde ze in haar bed, totdat ze plotseling overeind schoot. Haar hart bonsde en ze sloeg zich op haar voorhoofd. Hoe had ze het kunnen vergeten? Vandaag was de grote dag! De dag van de eretribune. Ze zwaaide haar benen uit bed en schoot in haar pantoffels. Toen rende ze naar de keuken om koffie te zetten. Er was nog zoveel te doen...

Nadat ze een ketel water op het vuur had gezet viste ze haar gebit uit een glas op het aanrecht. De jurk, dacht ze meteen daarop. Ze zou de rode jurk dragen waarmee ze ongemerkt de winkel uit had willen lopen – hoe kon ze immers zo'n dure jurk met stroken en glitters betalen – als een winkelmeisje niet een hand op haar schouder had gelegd. Juan had hem toch maar netjes betaald. 'Couture', bevestigde het winkelmeisje, en nu zou ze hem dragen.

Ze strekte haar rug. Vandaag zat ze op de eretribune. Wat zouden ze opkijken! Iedereen moest zien dat zij zich niet met een kluitje in het riet liet sturen. Als het erop aan kwam, was ze nog net zo mooi als vroeger.

Ze schonk heet water in een mok met oploskoffie, en terwijl ze aanstalten maakte om aan een klein tafeltje te gaan zitten, keek ze in een spiegel aan de muur tegenover het aanrecht. Ze streek een paar pieken haar uit haar gezicht en bevochtigde haar lippen. De winkel was vandaag gesloten, dat sprak vanzelf. De parade begon om twee uur vanmiddag en ze wilde zich tijdig installeren. Voordat het zover was zou ze Juan ontvangen. Hij moest haar begeleiden, ze eiste genoegdoening!

Stampvoetend stond ze in het gemeentehuis. Wat dachten ze wel! Ze wilde de burgemeester spreken. Deze keer liet ze zich niet afschepen. Ze had tegenover hem gezeten en alles uit de doeken gedaan. Hoe mooi ze vroeger was en hoe ze het dorp ontvluchtte om in de stad fotomodel te worden, hoe het haar bijna was gelukt als ze niet, onwetend en maagdelijk als ze was, door een onverlaat zwanger was gemaakt. Op dat moment was ze in huilen uitgebarsten. Als een dame die wist hoe het hoorde depte ze haar ogen met tissues uit een doos op het bureau van de burgemeester.

Wel vijf achtereenvolgende jaren was ze Santa Barbara geweest. Ze had geschitterd in de fotozaak van Tomas, of iemand dat weleens aan de burgemeester had verteld. Ieder jaar wilden ze een kaart voor een zitplaats aan haar verkopen. Het was een schande zoals ze werd afgedankt! Er moest een eretribune komen.

De burgemeester beloofde de kwestie in de gemeenteraad te bespreken. Haar zoon Juan zou daar ook bij aanwezig zijn, hij was immers gemeentesecretaris, en dan zou er een stemming komen.

'Een eretribune is ook een rehabilitatie voor Juan', had Isabel met een dichtgeknepen keel gezegd. Ze hadden hem altijd gepest, omdat niemand wist wie zijn vader was. 'Allemaal jaloezie. Ik was de knapste en ging naar de stad!'

De burgemeester had een arm om haar heen geslagen en haar als een echte dame naar de deur begeleid. Een paar dagen later ontving ze een brief van de gemeente. Er kwam een podium met zitplaatsen voor alle vrouwen in het dorp die ooit Santa Barbara waren. Triomfantelijk belde ze Juan, maar hij wist het natuurlijk al. Hij had haar willen verrassen en niets over de uitslag van de stemming verteld. Het leek alsof hij er verlegen mee was, want toen ze zei dat hij vanzelfsprekend naast haar zou zitten, had hij alleen maar gezucht.

'Het is meer iets voor jou', zei hij uiteindelijk. 'Ik zie er niks in.'

'Je hebt recht op de eretribune', antwoordde ze. 'Het is ook jouw rehabilitatie.'

Hij beloofde haar te begeleiden, maar verder wilde hij vrij zijn. Ze vond het best. Misschien had hij gelijk. Hij kon er immers niets aan doen dat Vincente hem nooit had erkend. Bij deze gedachte schrok ze en sloeg ze haar handen voor haar gezicht. 'Het is een geheim', stampvoette ze. Ze mocht zijn naam niet uitspreken. Ze droeg het geheim langer dan een kwart eeuw met zich mee, en nu het erop aan kwam en ze eerherstel zou krijgen, mocht ze het niet prijsgeven. Alleen Vincente zelf wist dat Juan zijn zoon was, hoezeer hij er ook onderuit probeerde te komen. Buiten hem had ze immers niemand gehad, hoewel boze tongen het tegendeel beweerden, niet in de laatste plaats Vincente zelf. Daarom had hij haar laten zitten, zei hij dan. Alleen daarom. Ze was een sloerie, en voor iedereen die haar wilde was ze plat gegaan.

En toen was hij met Rosa getrouwd. Zomaar. Plotseling. Met het lelijkste meisje van het dorp. Niemand had ooit naar Rosa omgekeken. Haar Vincente, haar mooie Vincente op wie ze hartstochtelijk verliefd was, trouwde met Rosa. Sindsdien had ze haar mond moeten houden.

Ze liep terug naar de slaapkamer en streelde over de jurk. Voor een kort moment ging er een rilling door haar heen. Vandaag zou ze de mooiste zijn. De mooiste van allemaal.

Ongeduldig keek Isabel toen ze klaar zat naar de klok boven het buffet achter de winkel. Waar bleef Juan? Hij moest er al lang zijn. Over een uur begon de parade. Het was bijna tijd om te vertrekken. Ze liep naar het woongedeelte en inspecteerde zichzelf in een grote spiegel in haar slaapkamer. Trots maakte ze een rondje. Ze was mooi in haar rode jurk met stroken en glitters. Een zwarte zijden omslagdoek had ze losjes rond haar schouders gedrapeerd. Het leek op vroeger en ze voelde dezelfde aangename kriebel in haar buik. Straks zou iedereen haar toeknikken. Misschien maakte de burgemeester wel een buiging, net als toen. Nee, Juan hoefde zich niet voor zijn moeder te schamen. Hoewel haar jaren duidelijk zichtbaar waren door haar dunne haren rond haar tanige gezicht met talloze rimpels, kon ze nog steeds doorgaan voor een schoonheid. Ze zou die afgeleefde kletstantes eens iets laten zien! Ze konden vroeger niet aan haar tippen, en nu ook niet.

Ze bukte zich om een schoenendoos onder haar bed vandaan te halen. Even later schoof ze haar voeten in glanzende zilverkleurige pumps, die ze ooit in een opwelling kocht, maar nog nooit had gedragen. Verrukt staarde ze naar haar voeten. Ze had ze sinds lang niet zo mooi gevonden. Achter de toonbank had het geen zin om mooie schoenen te dragen. Iedere dag schoof ze haar voeten in versleten pantoffels omdat ze anders blaren kreeg van het staan. Wie interesseerde zich nog voor haar voeten?

Met kleine, trotse pasjes liep ze terug naar de winkel. Voor een kort moment werd ze overvallen door een mat, verdrietig gevoel omdat Juan niet was komen opdagen. Ze haalde diep adem en vervolgens griste ze haar handtas van een stoel. Ze inspecteerde de inhoud, en daarna opende ze met een krachtig gebaar de winkeldeur.

Met geheven hoofd dribbelde ze door smalle straatjes met kinderhoofdjes naar het dorpsplein. In de verte zag ze dat er al een menigte samendromde, en toen ze het plein naderde zag ze dat er langs de kant van de weg dikke rijen stonden achter stoeltjes, die langs de hele route waren opgesteld. Zij niet, ging door haar heen. Zij hoefde daar niet te zitten. Voor haar was er een eretribune.

'Pas op, er moet een kaketoe door', hoorde ze achter zich. Er borrelde woede in haar omhoog omdat Juan haar niet begeleidde. Maar ach, dacht ze meteen daarop. Hij was druk bezig met de organisatie. Het podium was immers door de gemeente geregeld. Of was hij kwaad omdat hij haar jurk moest betalen?

Terwijl ze zich door de menigte wurmde voelde ze dat ze werd aangestaard. Hier en daar hoorde ze iemand lachen, maar dat was misschien niet om haar. Iedereen was immers in een uitgelaten stemming vanwege de parade! En daar, in de verte, vlakbij de fontein, zag ze een podium met stoeltjes. Daar moest ze zijn. Dat was de eretribune. Voor het podium, op het nog lege plein, zag ze dat de pastoor in gesprek was met de burgemeester. Hij zou vast ook op het podium zitten. En daar zat zij bij. Zij, Isabel, de mooiste Santa Barbara die het dorp ooit had. Ze schikte haar omslagdoek rond haar hals en klopte over haar jurk.

'Is de parade al begonnen?', riep iemand. Ze draaide haar hoofd. Opnieuw hoorde ze dat er werd gelachen. Ze vervolgde haar weg, totdat ze voor de pastoor stond. Hij knikte haar kort toe, om zich daarna van haar weg te draaien en het gesprek voort te zetten. Ze haalde diep adem en stapte op het podium. In de verte hoorde ze trommels en er ging een aangename rilling door haar heen. Heel even was het alsof ze weer op de wagen klom, om zich in vervoering door de menigte te laten bewonderen.

De zitplaatsen langs de kant van de weg werden geleidelijk gevuld, en toen Isabel opzij keek zag ze dat er een vrouw naast haar was komen zitten die ze niet kende. Ze overwoog dat zij misschien ook ooit Santa Barbara was, en minzaam knikte ze haar toe. Ook de pastoor klom nu op het podium.

‘Bent u niet Isabel?’, begon de vrouw naast haar. ‘Isabel, de moeder van Juan?’

Trots keek Isabel opzij. Ze knikte.

‘Juan is mijn zoon.’

‘Hij was verloofd met mijn Teresa. Hij heeft haar laten zitten. Ze is er nu natuurlijk niet. Ze wilde niet mee. Maar ik heb gezegd dat ik mij niet laat vernederen door de zoon van een kruideniersvrouw.’

Isabel slikte en keek stuurs voor zich uit. Wat moest ze zeggen? Nu, op haar grote dag? Was deze vrouw speciaal gekomen om haar op haar nummer te zetten? Het tromgeroffel zwol aan, en toen ze zich vooroverboog zag ze dat de parade was begonnen. Het blaasorkest zette nu ook in. Ze keek weer opzij naar de vrouw.

‘Juan is oud genoeg om zelf te beslissen wat goed voor hem is’, zei ze vinnig. ‘U moet beter op uw dochter letten.’ Hoog boven de trommelaars zag ze de praalwagen, met daarop Santa Barbara. Isabel klapte in haar handen. ‘Dat was ik!’, riep ze. ‘Santa Barbara!’ Met een kort schouderophalen wendde de vrouw zich van haar af.

Langzaam kwam de praalwagen dichterbij. De muziek werd steeds luider en Isabel keek trots en met geheven hoofd om zich heen, alsof zijzelf weer op de wagen stond. Plotseling hoorde ze haar naam roepen. Toen ze van schrik weer voor zich uit keek zag ze dat Maria op haar af rende. Maria sloeg haar handen voor haar mond toen ze voor Isabel stond. Ze proestte het uit.

‘Isabel, wat zie je er deftig uit’, riep ze. Ze maakte een buiging. ‘Je lijkt de koningin wel!’

‘Scheer je weg’, riep Isabel kwaad. ‘Ik sta niet achter de toonbank.’

‘Nee, dat zie ik. Je bent te oud om mannen te lokken Isabel!’

Isabel zag dat ook Rosa eraan kwam lopen. Maria gaf haar een por.

'Hoe vind je madam?'

'Ssst...,' zei Rosa. 'De pastoor zit achter haar.'

'Ach wat', antwoordde Maria. 'Ze hebben haar uit medelijden een ereplaats gegeven. Maar haar jurk is gestolen.'

'Die heeft Juan keurig betaald.' Isabel maakte een wuivend handgebaar. 'Jullie moeten ophoepelen. De praalwagen komt eraan.'

'Rosa, pas maar op je dochter Anna!', schreeuwde Maria boven de muziek uit. 'Dat hoerenjong heeft het op haar gemunt!'

Isabel trilde over haar hele lichaam. Wat Maria over Juan en Anna zei kon niet en mocht niet. Vincente was immers de vader van allebei, ze waren broer en zus! Zonder erbij na te denken sloeg ze een kruis. Op dat moment trok langzaam, onder veel handgeklap en geschreeuw, de praalwagen voorbij. Sommigen gooiden met bloemen. Hoog op de wagen stond een meisje van vijftien jaar oud in het weelderige kostuum met goudgalon, dat al bijna een eeuw werd gedragen door de uitverkorene die Santa Barbara mocht zijn. Ze wuifde naar de omstanders en Isabel voelde een brok in haar keel. Zo, ja zo had zij ook gestaan. Dit meisje was net zo beeldschoon als zijzelf ooit was.

Achter de praalwagen liepen kleuters in roze kostuums, de meisjes in smetteloos witte bloesjes en roze rokjes, de jongens in roze, glimmende broeken en een wit overhemd met een zwart strikje. Aan hun hand droegen ze een mandje met confetti, die ze parmantig naar de omstanders strooiden. Hun begeleiders, meisjes en jongens uit de hoogste klassen van de lagere school, vulden hun mandjes bij. En daar, daar liep Anna samen met Juan. Hand in hand. Ze straalde temidden van haar leerlingen.

Met een ruk stond Isabel op. 'Juan', schreeuwde ze. 'Juan!' Hij rende naar haar toe. Zijn gezicht was een en al lach.

'Zit je goed?', riep hij toen hij voor haar stond. 'Je ziet er prachtig uit.' Nu was ook de vrouw naast Isabel opgestaan. Hij liet niet merken dat hij schrok, en knikte haar vriendelijk toe.

'Je hebt mijn Teresa laten zitten', riep ze. 'Nou, voor jou iets beters dan een bastaardzoon. Ze kan je niet meer luchten of zien. Kijk hoe je haar met een andere vrouw te schande maakt!'

'Het spijt me.' Juan beet schuldbewust op zijn lip. 'Maar het is niks geworden. Teresa en ik passen niet bij elkaar.'

'O, nee?' Isabel mengde zich in het gesprek. Ze had een hoogrode kleur. 'Je laat je moeder beledigen waar ik bij sta!' Juan gebaarde dat ze van het podium moest stappen en pakte haar vast bij een arm.

'Ik ga met Anna trouwen', zei hij toen ze beneden stonden. 'We hebben iets te vieren.'

'Als je dat maar uit je hoofd laat.' Isabel hapte naar adem. 'Juan, het kan niet.'

'Ik trouw met wie ik wil. Vandaag hebben we ons verloofd.'

'Anna is je zus', schreeuwde Isabel. 'Daarom kan het niet. Je bent de zoon van Vincente, haar vader!'

'Ben je gek geworden?' Geschokt deed Juan een pas achteruit. Isabel sloeg haar handen voor haar gezicht. Ze wankelde op haar benen.

'Wat is er?', informeerde Anna die bij hen was komen staan. 'Juan, je mag je moeder niet overstuur maken.' Ze sloeg een arm om Isabel. 'Voelt u zich niet goed?' Isabel strekte haar rug.

'Je kan niet met Juan trouwen', zei ze kil. 'Hij is je broer.'

Met gebalde vuisten rende Juan naar Vincente, die aan de overkant van de straat naast Rosa zat. Woedend bleef hij voor hem staan. 'Is het waar wat mijn moeder zegt?'

Vincente stond op. Hij had Juan en Anna ook samen hand in hand zien lopen. Bovendien zag José hen in het voorbijgaan zoenen. 'Ik heb je moeder gezegd dat je bij Anna weg moet blijven. Dit is de laatste keer...'

Voor het eerst keek Juan aandachtig naar Vincente. Naar zijn lichaam, dat eens krachtig moest zijn geweest, naar zijn grijze, dunne haar waar de krullen bijna uit verdwenen waren, en naar zijn tanige gezicht. Was het waar? Was dit zijn vader?

'Wat zegt Isabel?' Rosa was nu ook opgestaan. Voordat Juan echter antwoord kon geven gaf Vincente hem een trap tegen zijn benen. 'Opdonderen heb ik gezegd. En snel!'

Plotseling kwam er in Juan drift naar boven. Zijn hele leven al werd hij vernederd en moest hij opdonderen. Maar deze keer niet. Niet nu het zijn toekomst aanging. Hij haalde uit en gaf Vincente een krachtige kaakslag. Voor een kort moment wankelde Vincente, en daarop plofte hij terug op zijn stoel. Zijn hoofd bonsde, en toen hij naar zijn handen keek zag hij bloed. Juan had hem een bloedneus geslagen.

'Juan', riep Isabel. 'Juan!' Ze rende naar hem toe.

'Ik heb het hem verteld', schreeuwde ze toen ze voor Vincente stond. 'Anna is zijn zus. Hij kan niet met haar trouwen.' Rosa begon te krijsen. Ze maaide met haar armen en begon op de borst van Vincente te trommelen. 'Varken', schreeuwde ze. 'Wat is er gebeurd?'

'Juan is zijn zoon', riep Isabel. 'Dat is er gebeurd. Daarom heeft hij jou genomen.' Ze greep de arm van Juan. Met geheven hoofd draaide ze zich af van Vincente en Rosa, om zich door hem terug naar de winkel te laten begeleiden.

Verslagen liep Rosa achter Vincente. Tranen liepen over haar wangen. Wat moest ze doen? Na haar woedeaanval, waarin ze op hem inbeukte, was ze ontroostbaar. Het was dus waar! Haar voorgevoel had haar niet bedrogen. Vincente was met Isabel geweest, en toen ze zwanger van hem werd had hij haar afgedankt. Hij was met haar getrouwd, met Rosa, het meisje dat nooit werd gevraagd, om zijn verantwoordelijkheden te ontlopen.

Ze frommelde aan de zakdoek die Anna haar gaf en snoot haar neus, die rood was van de opwinding en de tranen.

'Bedaar nu maar', zei Anna die naast haar liep. 'Het is zo lang geleden. Gun Isabel niet dat je net zo ongelukkig wordt als zij.'

'Ik denk er niet over.' De stem van Rosa was hees en dun. 'Ik trek in bij José. Je vader zoekt het maar uit.'

'Ach...' Anna zuchtte. 'Kijk hoe hij loopt. Hij is een oude man. Vergeef het hem.'

'En Juan? Zijn zoon?'

'Misschien is het niet waar.'

'En jij?'

'Juan is geen man voor mij. Papa heeft gelijk. Hij zou nooit met mij zijn getrouwd, al beweert hij van wel. Anna gaf Rosa een arm.

'Als we thuis zijn pak ik meteen mijn koffers', zei Rosa mat. 'Jij gaat mee.' Op dat moment draaide Vincente zich om. Hij liep naar hen toe. Rosa wendde haar gezicht af toen hij voor haar stond. 'Uit mijn ogen, varken!'

'Rosa!' Vincente legde een hand op haar schouder. Vanachter haar bril staarde ze hem aan met grote, ronde ogen. Toen hij haar vast wilde pakken begon ze te rennen. Ze rende zo hard ze kon, en nam een zijpad dat langs mispelterrassen omhoog voerde naar een afgelegen bergplateau.

'Laat haar maar', zei Anna. 'Ze moet tot zichzelf komen.' Samen vervolgden ze het pad naar huis.

'Is het waar', vervolgde ze. 'Is Juan je zoon?'

Vincente zweeg, en ze zag dat hij voor een kort moment wankelde op zijn benen. Hij wiste zweet van zijn voorhoofd. 'Ik weet het niet Anna.' Zijn ogen zochten een plek om te gaan zitten en toen hij in de verte in de berm een verhoging zag, begon hij weer te lopen.

'Het is zo lang geleden.'

'Voor ons is het belangrijk. Voor mama, voor José, Antonio, voor mij... Misschien is Juan mijn broer.' Ze naderden de plek langs de weg waar door een afgraving een verhoging van zachte aarde was ontstaan. 'Ik heb iets met Isabel gehad', vervolgde Vincente terwijl hij ging zitten. 'Ze was een mooie meid. Toen ze naar de stad ging ben ik haar gevolgd. Ik was dolverliefd en zij ook op mij, dat weet ik zeker. Ik zorgde voor haar. Ze woonde op een klein kamertje boven een café, en ik bracht iedere week geld en eten. Alles gebeurde in het geheim. Op vrijdagavond ging ik weg uit het dorp, en op zondagochtend zat ik weer netjes in de kerk. Ik vertelde dat ik er in de fabriek iets bij verdiende.

Ze heeft mij laten zitten voor een andere vrijer. Ze gebruikte mij voor het geld, snap je? Dat is het hele verhaal.' Tersluiks keek hij opzij om het gezicht van Anna te bestuderen. Ze keek hem lachend aan. 'Dan is het toch duidelijk? Isabel heeft je laten barsten, en ze was zwanger van die andere vrijer.' Ze greep naar de handen van Vincente. 'Kom, we gaan naar huis.'

'Zo eenvoudig ligt het niet.' Vincente beet op zijn lip. 'Isabel was zwanger toen ze die andere vrijer kreeg. Toen ze het kind weg wilde laten halen is haar vader eraan te pas gekomen. Ik waarschuwde hem toen ik hoorde wat ze van plan was.'

'Omdat het kind van jou was?' Peinzend keek Anna naar haar vader. Als Juan van hem was, waarom had hij dit dan niet aan haar moeder opgebiecht? En waarom had Isabel er altijd over gezwegen? Het was toch geen schande dat haar vader voor zijn huwelijk een ander leven had geleid? Hij had het kind moeten erkennen. Juan zou opgegroeid zijn bij Isabel, in de wetenschap dat hij er nog een zus en twee broers bij had. Rosa, haar moeder, zou vanaf het begin hebben geweten waar ze aan begon.

'Isabel kon geen kind gebruiken', besloot Vincente. 'Ik wilde haar niet meer hebben, maar een engeltjesmaker, nee. Daar heb ik een stokje voor gestoken.' Ze naderden het huis. Anna zag dat haar moeder buiten op het bankje zat. Vanaf het bergplateau moest ze het pad achter het huis hebben genomen. Bleek en stil zat ze op Vincente te wachten.

'Isabel', stamelde ze toen Vincente en Anna voor haar stonden. 'Ze is dood.' Vincente pakte Rosa bij een arm en trok haar omhoog. Heel even wiegden ze tegen elkaar aan, om vervolgens samen met Anna naar binnen te lopen.

'Ze heeft er een eind aan gemaakt', vervolgde Rosa. 'Juan belde. Hij was in paniek.'

'Juan was toch bij haar?', informeerde Anna.

'Niet de hele tijd. Ze is voor een vrachtwagen gesprongen. Juan heeft haar niet meer weg kunnen trekken.'

'En nu?' De handen van Vincente beefden.

'Nu is het over', zei Rosa mat. 'Uit. Ze heeft haar triomf gehad.'

'Juan is niet mijn zoon', riep Vincente plotseling geagiteerd. Nietwaar Anna? Ik heb Anna het hele verhaal verteld.'

Rosa liep naar het aanrecht. Ze vulde een ketel water en pakte een koffiekan.

'Maakt het iets uit?', zei ze gedecideerd. 'Vincente, ik ben van alles op de hoogte. Ik zal Juan waardig ontvangen.'

In plaats van kaarten

1

'En hier is Anne, jullie nieuwe collega', zei Viktor Wielinga. Ze betraden een grote ruimte op de parterre van een warenhuis. Achter tafels met stapels postpakketten keken hoofden op. Een gezette man met een grote hoornen bril en een klein pruilmondje in zijn verder uitdrukkingloze, ronde gezicht stond op vanachter zijn bureau. Klaar om Anne de hand te drukken. 'Henk van Galstar. Ik hoop dat je het hier naar je zin krijgt.' Hij streek even over zijn dunne, zwarte haar dat met gel achterover was gekamd. Met een open lach drukte Anne zijn hand. Hij wees naar een tafel. 'Daar is je plaats. Kobes zal je alles over de postafdeling kunnen vertellen. Nietwaar Kobes? Galstar liet een flauwe glimlach zien en dook weer weg achter een stapel post.

Een mager, bleek gezicht van een man op leeftijd knikte naar Anne. Nu kwam ook een mollig meisje in een blauw katoenen schort tevoorschijn. Haar bolle gezicht, met haren in kleine stekeltjes, vertoonde een brede lach. 'Anita. Als Kobes vervelend is kom je maar naar mij toe.'

Verlegen keek Anne rond in de postkamer, die groter was dan ze had verwacht. Ze telde vier tafels en drie medewerkers. Zij was de vierde. Ze had zich nooit gerealiseerd dat een warenhuis zoveel post had af te handelen. Viktor Wielinga, de personeelschef, legde uit dat veel binnenkomende post afkomstig was van bestellingen via hun postorderbedrijf. Ook waren er klanten die hun aankopen lieten bezorgen. En dan was er reclame van het bedrijf. Er was een tafel binnenkomende post, een tafel verzending en een sorteertafel.

De deur zwaaide open en een jongeman met een fors postuur stapte naar binnen. Hoewel hij rond de twintig moest zijn, was hij al bijna helemaal kaal. Hij lachte een onregelmatig gebit bloot, waar een voortand aan ontbrak. 'Boeke. Ben je de nieuwe?' Er kwam een grijns op het gezicht van Wielinga. 'De gangmaker van de club. Was je op pad?'

'De kar staat in de gang. De nieuwe kan meteen aan de slag.' Boeke liep weer naar de gang, en even later rolde hij een zwaar beladen kar de postkamer binnen. Wielinga knikte naar Anne. 'Je krijgt een schort, want aan post kleeft van alles.' Boeke begon te lachen. 'Dat merk je snel genoeg.'

'Jongens, ik reken er op dat jullie aardig zijn voor Anne. Het is haar eerste werkdag.' Wielinga keek in de rondte. 'Waarom zouden we niet aardig zijn?' Galstar verschoof wat papieren. Vervolgens klapte hij in zijn mollige handen. 'Aan de slag jongens. Anne bij Kobes. Als er iets is kom je maar naar mij toe.'

Aarzelend liep Anne naar Kobes achter zijn tafel. Ze gaf hem een hand. 'Karel, maar iedereen noemt mij Kobes.'

'Hè ouwe, je gedraagt je netjes, niet?' Grijnzend dook Boeke op voor de tafel. 'Wees aardig voor dat meisje.' Anne wendde haar gezicht af. Ze zag dat Boeke over zijn gulp streek.

'Dit hier moet verzendklaar worden gemaakt.' Kobes wees naar een stapel pakketten. 'Doe het in je eigen tempo. Er moet een folder in ieder pakket, en je moet de bestellingen controleren.'

Anne knoopte het schort om dat Wielinga haar had gegeven en greep naar een postpakket. Ze plukte aan een blauwe trui die ze erin aantrof. 'Wie zorgt voor de bestellingen? Worden de spullen hier aangeleverd?' Met een driftig gebaar propte Kobes de trui weer in het pakket. 'Je moet de spullen netjes laten. Alleen even kijken.'

Anne keek opnieuw rond en zag dat een lange tafel met spullen was beladen. Ze knikte.

'Koffie!' Boeke roffelde met het deksel van een pan op zijn kar. Kobes gaf Anne een por en gebaarde dat ze mee moest lopen. 'Vandaag hebben we er iets lekkers bij.' Boeke knipoogde naar Anne. 'We vieren dat het je eerste dag is. De laatste dag van Coby hebben we ook gevierd.' Anita liet een klein lachje horen.

'Trek je er niets van aan.' Kobes gebaarde naar een stoel. 'Zo zijn ze hier.'

Anne nam plaats op een stoel in een hok met een keukenblokje en een koelkast. Op het kleine aanrecht stonden een grote thermoskan, plastic bekertjes, een pak suikerklontjes en een fles koffiemelk. In een geopende platte doos lagen punten kersenvlaai. Haar maag voelde samengekrompen. Ze was misselijk van de spanning door het nieuwe. Toen Kobes haar een punt wilde overhandigen maakte ze een wuivend gebaar. Ze keek om zich heen en nam een slok koffie uit de beker die Kobes haar in handen drukte.

Anita naast haar stootte haar aan. 'Je moet je nergens iets van aantrekken. Boeke is nu eenmaal zo. Er valt best met hem te lachen. Galstar is een ander verhaal. Heb je al een kortingskaart?' Anne schudde niet begrijpend haar hoofd. 'Die moet je aan Galstar vragen. Overal in het warenhuis krijg je personeelskorting.'

'Galstar is een klootzak waar je niet op moet letten.' Boeke boog zich voorover naar Anita.

'Hij is van het handje.' Hij klopte op zijn rechterhand en draaide met zijn heupen. Anita boog zich schaterlachend voorover. Haar borsten bolden omhoog boven haar schort.

Anne voelde zich draaierig worden. Ze stond op om haar beker terug op het aanrecht te zetten.

'Kind, wat zie je bleek.' Kobes rommelde in een plastic tas naast zijn stoel, en haalde een lunchdoos tevoorschijn. 'Je lust vast een lekkere krentenbol.' Gretig pakte Anne de krentenbol die hij tevoorschijn haalde. Ze nam een hap. 'We eten altijd boven in het restaurant.' Anita stootte haar aan. 'Lekker soep en kroketten. Galstar geeft je bonnen.'

'Mager lust ik ze anders ook.' Boeke vulde zijn beker bij. 'Vol in de hand is lekker, maar strak van onderen is de hemel.'

'Genoeg Boeke.' Kobes stond op. 'We moeten weer aan de slag.'

'Hoe was het?' De moeder van Anne zette haar fiets binnen in de gang. Aan het stuur hing een volle boodschappentas. Ze waren nog maar met zijn tweeën, Anne en zij, ze verwonderde zich echter altijd weer over de hoeveelheid boodschappen. Anne at zelfs niet eens zoveel.

'Vertel ik zo wel.' Anne liep naar haar kamer boven en ging op haar bed zitten. Ze had gereageerd op een van de advertenties die haar moeder uit de krant knipte. 'Doe het maar. School wordt toch niks meer.' Ze protesteerde. Een postkamer? 'Dan had je het vol moeten houden op school. Je kan niet teveel praatjes hebben.'

In de tweede klas van de Havo gaf ze er de brui aan, en toen haar moeder werd ingelicht omdat ze veel spijbelde, werd ze overgeplaatst naar het Vmbo. Op school zeiden ze dat ze haar energie kwijt moest in praktische vakken. Maar ook op het Vmbo kon ze haar draai niet vinden. Ze trok zich terug en slenterde in winkelcentra, lukraak stapte ze modezaken binnen om kleding te passen waar ze geen geld voor had. Of ze ging naar een snackbar vlakbij school. Ze bracht de tijd door met de vrienden die ze daar had gemaakt. Toen ze werd gepakt terwijl ze make-up uit een parfumerie stal, werd ze van school verwijderd. Daarna was ze niet meer teruggegaan.

Achter haar computer, met haar chat-vriendinnen, droomde ze zich een ander leven. Ze zou au pair worden en naar het buitenland gaan. Een rijke man trouwen met een huis en een zwembad, zoals in de glossy's. Misschien ging ze wel naar

Amerika! Ze verfde haar donkere haren blond en stiftte haar lippen. Iedere ochtend kneep ze in het vel van haar heupen en stond ze op de weegschaal. Ze vond zichzelf te dik en smokkelde met eten.

Na een fikse ruzie over de advertentie ging ze overstag. Ze schreef een brief aan de personeelsafdeling van het warenhuis. Ze was bijna achttien en wilde graag praktijkervaring opdoen. Het was een zin in de sollicitatiebrief die haar moeder had bedacht. 'Zo is het toch? Je kan niet blijven rondhangen. Je moet leren hoe het er in de wereld aan toe gaat.'

Wielinga ontving haar twee weken na de brief. Er zaten meer meisjes in de wachtruimte voor het kantoor, de meesten ouder dan zij. Een dag later kreeg ze een telefoontje. Ze hadden haar gekozen omdat ze een meisje was dat van aanpakken wist.

'Zie je wel? Je hebt een goede indruk gemaakt.' Haar moeder gaf haar een zoen, en ze mocht de stad in om nieuwe kleding te kopen.

Wat zou ze haar moeder vertellen? Dat het afschuwelijk was? Na de koffiepauze was de dag lang geweest. Kobes vertelde dat ze bestellingen aan de hand van een lijst moest controleren. De lijst ging naar de inpakster Anita. Van een andere stapel moest ze pakketten sorteren en aan Kobes doorgeven, die de adressering controleerde en een stempel gebruikte van het warenhuis. Aan het eind van de dag werden de postpakketten opgehaald door Boeke, die ook voor de aanlevering zorgde. De binnenkomende post liep via Galstar, die de chef was.

'Voor Galstar moet je oppassen.' Uit angst dat anderen hem konden horen fluisterde Kobes, behalve wanneer hij haar terechtwees. Dan was zijn stem vol, luid en scherp.

'Hij doet wel aardig, maar hij is beste maatjes met Wielinga. Alles vertelt hij door.' Ze knikte zonder te begrijpen waar Kobes op doelde. Haar leek Galstar een vriendelijke man.

Hij was de enige die haar echt aardig had begroet. De anderen stonden er zo'n beetje bij te grijnzen en maakten grapjes. Kobes was gewoon een oude, bange vent. Hij leek haar een zeurpiet, al had hij het in het hok voor haar opgenomen.

'Bij Boeke moet je uit de buurt blijven.' Kobes gaf een kneepje in haar arm. 'Hij is geen slechte vent, maar soms gaat hij te ver. Met de vorige is er een hele toestand geweest. Hij is er nog omdat Galstar hem een tweede kans heeft gegeven. Coby is vertrokken.'

Ze had niet doorgevraagd. Anita vond ze wel aardig en verder zou ze wel zien. Het werk was geestdodend, vooral omdat ze met Kobes moest werken, maar misschien veranderde dat. Galstar was rond het middaguur op haar afgestapt en had haar bonnen voor het restaurant gegeven. Toen ze naar een kortingskaart informeerde, zegde hij toe dat er deze week een zou worden gemaakt. Dan kreeg ze ook haar toegangspas en naamplaatje.

'Misschien blijf ik niet lang op de postkamer.' Samen met Anita was ze naar het restaurant gegaan. 'In het warenhuis werken lijkt mij leuker.'

'Nou, mij niet gezien. Ze maken langere dagen en moeten ook op zaterdag werken. De hele dag wordt er aan je kop gezeurd.'

Zwijgend hadden ze verder tegenover elkaar gezeten. Ze vroeg zich af of ze Anita had teleurgesteld omdat ze al bij haar eerste dag weg leek te willen. Maar ze wist meteen dat ze het nooit lang op de postkamer zou volhouden met figuren als Kobes en Boeke.

'Ga je een keer mee uit?' Ze wilde dat Anita haar aardig vond. Ze waren tenslotte de enige meisjes op de afdeling. 'Ik weet een plek waar hele coole feesten zijn.'

'O, ja, waar?'

'Buiten de stad. Gothic. Je weet niet wat je meemaakt.'

'Met pillen en zo? Dat is niks voor mij. Ik moet voor mijn broertjes en zusjes zorgen.'

'Nou ja, het kon toch?'

'Ben jij Gothic?'

'Soms.'

Anita had haar schouders opgehaald. Ze beloofde een keer mee te gaan.

'Eten.' Anne hoorde haar moeder roepen. Even later zat ze tegenover haar moeder, die spinazie op haar bord schepte 'Vertel nu eens', herhaalde ze. 'Hoe was het?'

'Het ging best.' Anne vertrok haar gezicht en nam een hap van de spinazie. Daarna schepte ze een aardappel op haar bord. Haar moeder pakte een juslepel en goot jus over haar aardappel, om vervolgens een tartaartje op haar bord te schuiven. 'Niet zeuren. Je moet iets binnen krijgen.'

'Ze zijn wel aardig.' Anne sneed een klein stukje van de tartaar en nam een hap.

'Ik werk met een oude man. Kobes heet hij. Hij is wel aardig. Maar het werk is saai. De hele dag poststukken uitzoeken. Ik wil over een poosje naar de parfumerie.'

'Als ze tevreden over je zijn.'

'Er is ook een engerd.' Zo ongemerkt mogelijk harkte Anne de rest van het vlees naar de zijkant van haar bord.

'Boeke. Hij zit de hele dag aan zijn gulp te wriemelen.'

'Dan zeg je daar toch wat van?'

'Op een eerste dag zeker.' Razendsnel greep Anne het tartaartje en legde het in een plastic zakje, dat ze onder de tafel op haar schoot had liggen. Daarna schoof ze haar bord van zich af.

'Ik ga naar boven. Even chatten en muziek luisteren.' Ze schoof haar stoel naar achteren.

'Niet te lang.' Haar moeder zuchtte. 'Je moet het toch vol zien te houden.'

2

'Wil je mij komen helpen?' Boeke dook op voor de tafel van Kobes en Anne. 'In de kelder staat een hele lading.'

'Anne hoeft dat niet te doen.' Kobes liep naar voren. 'Ze heeft het druk.' Boeke grijnsde. 'Dat meisje kan best voor zichzelf opkomen. Nietwaar Anne?'

'Bemoei je met je eigen werk, de kar is jouw taak. Niet de mijne.'

Anne pakte een stapel postpakketten van de tafel en overhandigde ze aan Kobes. Hij knikte. 'Zo is het.'

Boeke maaide met zijn armen en gaf een forse tik tegen de stapel postpakketten. Met een donderende klap vielen ze op de grond. 'Pas maar op ouwe. Je krachten nemen af. Kijk nu eens wat je doet! Je laat de pakketten zomaar uit je handen vallen!'

Kobes liep rood aan en bukte zich om ze bij elkaar te rapen. Anne keek angstig opzij naar Anita, die het tafereel zwijgend gadesloeg. Het leek of ze moest lachen.

'Donder op naar je kar!' Kobes kwam met een van woede vertrokken gezicht overeind. 'Of ik stap naar Galstar.'

'Gaan we klikken, Kobes?' Boeke krabbelde aan zijn kruis. 'Dan weet ik ook nog wel wat.

Je uitje met Coby, weet je nog?' 'Ach man, donder op.' Anita liep vanachter haar tafel naar Boeke. 'Als je mij even helpt. De kelder staat helemaal vol.' Boeke greep Anita vast bij haar middel. 'Jij weet tenminste van aanpakken.' Anita hield haar hoofd schuin en begon te giechelen. 'Vooruit dan maar.'

'Wat is dat nou?' Anne fluisterde tegen Kobes, die weer naast haar stond. 'Je moet die dingen niet pikken. Boeke is een rotgozer.' Kobes zuchtte terwijl hij de inhoud van de postpakketten inspecteerde. 'Af en toe heeft hij een bui.'

'Ik vind hem een engerd. Ik stap naar Galstar.' Anne plantte haar handen in haar zij. 'Ik hoef mij niet te laten vernederen. Jij ook niet.'

'Laat hem maar.' Kobes pakte een nietmachine. 'Straks heeft hij er spijt van. Dan horen we dagen niets.'

Die middag liep Anne samen met Anita naar het restaurant. Eigenlijk was ze kwaad, omdat Anita het niet voor haar opnam toen Boeke voor haar stond. Ze had er gewoon om moeten lachen.

'Vandaag hebben ze nasi.' Vergenoegd wreef Anita over haar schort, terwijl ze achter Anne de lift instapte. 'Ik neem lekker een portie.' Peinzend bestudeerde ze daarop Anne. 'Jij mag anders ook weleens eten. Je neemt nooit wat.'

'Thuis eet ik goed.' Met geloken ogen keek Anne naar Anita. 'Ik hoef niet twee keer warm te eten.'

'Bij de koffie neem je ook nooit wat. Behalve als Kobes je iets toestopt.'

Anne zweeg. Ze wilde Anita aanspreken over Boeke. Het was dat Galstar er vandaag niet was. Anders stapte ze meteen op hem af. Wat moest Anita eigenlijk met Boeke in de kelder? Gelukkig was Kobes voor haar opgekomen, anders was zij de klos geweest.

'Wat moest je met Boeke in de kelder? Hij kan het toch best alleen af? Zo vol was de kar niet toen jullie terugkwamen.' Anita grijnsde. 'Je moet je niet zo laten opfokken. Soms heeft Boeke zin in een geintje.'

'Nou, leuk geintje. Kobes was helemaal van slag.'

Bij het buffet van het restaurant namen ze ieder een dienblad. Anne pakte een glas karnemelk uit een vitrine.

'Daar kan je geen dag op leven.' Anita pakte een broodje kaas en legde het op het dienblad van Anne. 'Je moet iets binnen krijgen.'

'Waarom eten Kobes en Boeke hier nooit?' Met haar dienblad liep Anne achter Anita naar een tafeltje bij het raam. 'Kobes is mensenschuw. Hij neemt brood mee van huis. Dan hoeft hij niemand tegen te komen. Ik denk dat hij in het hok een dutje doet. Rare vent. Boeke gaat altijd de hort op.' Anita nam een grote hap van de nasi die ze had besteld.

'En Galstar?'

'Eet ergens buiten met Wielinga. Dan kletsen ze over ons.'

Anne nam een slok karnemelk en schoof het broodje kaas opzij. Ze had geen trek na de scène met Boeke en wilde eigenlijk naar huis. Ze vroeg zich af hoe er gereageerd zou worden als ze zomaar zou opstappen. 'Toch ga ik het aan Galstar vertellen.' Ze peuterde aan het broodje kaas. 'Boeke moet zich eens inhouden. Hij zit ook altijd aan zijn kruis te krabben.'

Anita keek op van haar bord nasi. Ze had een hoogrode kleur. 'Laat nou maar joh.' Ze wapperde met haar handen, alsof ze het warm had. 'Boeke is geen kwaaie gozer. Je moet alleen met hem om leren gaan.' Ze schoof haar dienblad opzij en leunde daarna achterover in haar stoel. Ze wreef over haar buik. 'Dat zit er in ieder geval weer in. Ik eet hier altijd goed.'

'Ik verkoop hem een optater, als hij zo doorgaat.' Misprijzend keek Anne naar Anita, die een boer had gelaten. 'Ik hoef niet te pikken wat jij pikt. Hij staat gewoon tegen je op te rijen.'

Anita begon te lachen. 'Zoals je nu bent lukt het je nog niet om een vlieg dood te slaan. Je moet meer eten.'

'Zaterdag is het feest in een loods. Ga je mee?' Anne veranderde van onderwerp omdat ze besefte dat het niets zou uithalen op Boeke door te gaan. Het leek Anita niet te deren hoe hij zich gedroeg, en misschien had ze gelijk. Ze moest er niet zo zwaar aan tillen.

'Moet ik mij dan verkleden?' Anita pakte het broodje kaas van het dienblad van Anne en nam een hap.

'Niet perse. We kunnen hier voor de ingang afspreken, gaan we er samen naartoe.' Anne draaide haar hoofd en keek uit het raam. Ze kon het bijna niet verdragen hoe Anita na haar bord nasi het broodje kaas weg zat te werken.

'Best. Ik wil het wel een keertje meemaken.' Anita stond op en pakte haar dienblad. 'Ik kan er weer tegen. Dat jij niks eet. Straks val je nog flauw van de honger.'

In de postkamer was Kobes nergens te bekennen. 'Vreemd, hij gaat nooit weg.' Anita opende de deur van het hok. Vervolgens liep ze naar haar tafel. 'Misschien is hij naar huis gegaan.'

'We moeten Wielinga erbij halen.' Anne liep het hok binnen en pakte de thermoskan. Nadat ze voor zichzelf een restje koffie had ingeschonken, leunde ze peinzend tegen het aanrecht met de beker in haar hand. 'Hij voelde zich niet goed na wat Boeke had gedaan. Je slaat hem toch niet zomaar pakketten uit zijn handen?'

'Boeke heeft zoveel gedaan.' Anita verschoof wat spullen op haar tafel. 'Het is altijd op zijn pootjes terecht gekomen.'

'Hebben jullie het over mij?' De deur zwaaide open en Boeke stapte naar binnen.

'Kobes is naar huis gegaan.' Anita liep naar hem toe en bleef voor hem staan.

'Je moet kappen met die rotgeintjes. Hij was er beroerd van.'

'Tut, tut, tut, niet zo'n grote mond. Kobes kan wel tegen een stootje. Jij anders ook.'

Grijnzend deed hij een stap opzij en met grote passen liep hij naar het hok.

'De pauze is voorbij dame. Nog steeds aan de koffie?'

Met een driftig gebaar goot Anne haar beker leeg in de

gootsteen. Daarna draaide ze zich om en haalde ze uit naar Boeke. Ze gaf hem een forse tik tegen zijn buik.

'Hè, gaan we slaan?' Hij deed een stap naar voren en greep haar vast bij haar polsen.

Terwijl Anne worstelde om los te komen gaf ze hem een trap tegen zijn benen.

'Je moet met je poten van mij afblijven!'

'Kipje!' Boeke schuurde tegen haar aan. Anne kreeg een hoogrode kleur en gaf hem met haar knie een driftige tik tegen zijn kruis. Met een schreeuw liet hij haar los.

'Kreng! Ik pak je nog wel!'

'Ja, en nu is het genoeg.' Anita greep Anne bij een arm en trok haar weg bij Boeke. 'Jullie moeten je niet zo opfokken. Daar heeft niemand iets aan.'

Boeke rochelde en spoog een fluim speeksel in de gootsteen. Daarna stoof hij met grote passen de postkamer uit.

Anne begon te huilen. Ze deed haar schort af en liep naar Anita, die weer achter haar tafel stond.

'Ik stap naar Wielinga. Boeke is te ver gegaan.' Anita sprong naast haar en legde een arm om haar schouder. 'Laat hem nou joh. Hij koelt wel af. Zo is Boeke. Zaterdag ga ik mee naar het feest.'

'Zie ik tranen?' Kobes stapte naar binnen. Hij zeulde met een grote, plastic tas. 'Wat is er aan de hand?'

'We dachten dat je naar huis was vanwege Boeke.' Anita begon te lachen. Ze voelde zich opgelucht omdat Kobes er weer was. 'Wat zit er in die tas?' Met een plof liet Kobes de tas op de grond vallen. 'Dat is een verrassing.' Hij glimlachte naar Anne. 'Ik heb een ommetje gemaakt. Boeke zal mij geen kunstjes meer flikken.' Anita begon te giechelen.

'Laat eens kijken?'

'Nee. We moeten aan het werk. Anders komen we er vandaag niet op tijd uit.' Kobes schoof de tas onder zijn tafel. 'Je ziet het vanzelf.'

Die avond roerde Anne lusteloos met haar lepel door een bord tomatensoep. Ze had nog geen hap genomen. Bleek en stil staarde ze voor zich uit.

'Je bent zo stil. Je was ook zo laat.' Bezorgd reikte haar moeder naar de hand van Anne.

'Het is daar vreselijk.' Anne stond op van tafel en ging in elkaar gedoken op de bank zitten.

'Morgen blijf ik thuis.'

'Je kan niet zomaar wegblijven. Is er iets gebeurd?'

'Ik heb met Boeke gevochten. Hij is een pestkop.'

'Wie is Boeke ook alweer?'

'Een griezel die steeds naar zijn kruis grijpt. Hij stond gewoon tegen mij aan te rijen. Hij spookt ook dingen uit in de kelder.'

'Zegt de chef daar dan niks van?'

'Hij was er niet vandaag.'

'Dan stap je morgen naar de chef. Je hoeft dat niet te pikken.'

'Ik kijk wel uit. Dan wordt Boeke nog kwader. Hij heeft Kobes pakketten uit zijn handen geslagen.' Met een zucht stond haar moeder op.

'Er is overal wel wat. Dat moet je goed beseffen. Je moet het vol zien te houden. Daar leer je van. Je vindt Anita toch aardig?'

'Anita is wel aardig. Zaterdag gaat ze mee naar een feest.'

'Zie je nou?' Haar moeder liep naar Anne en legde een arm om haar schouder. Ze drukte haar tegen zich aan.

'Je moet gewoon wennen. Misschien heb je die Boeke uitgelokt. Je moet leren niet op alles in te gaan. Dan laat hij je met rust.'

'Oké', Anne schudde zich los en sprong op.

'Ik ga nog even iets op mijn kamer doen.'

Ze liep naar boven en even later zette ze haar computer aan. Lusteloos bestudeerde ze de ingekomen berichten. Wat zou ze haar vriendinnen antwoorden? Het voorval met Boeke zat haar dwars. Er zat niets anders op dan dat ze morgen weer ging. Toch voelde haar maag niet alleen samengekrompen vanwege de paar lepels soep die ze toch nog naar binnen had gewerkt, maar ook vanwege het vooruitzicht Boeke weer onder ogen te moeten komen. Anita vertrouwde ze bovendien niet helemaal. Ze nam het voor hem op, en wat had ze met hem in de kelder uitgespookt? Met een vreemd lachje op haar gezicht was ze de postkamer binnengestapt, nadat ze bijna een uur waren weggebleven. Kobes gaf haar een por toen ze ernaar informeerde. Hij fluisterde dat Anita kon doen wat ze wilde. Net als Coby vroeger.

'Wie is Coby?', vroeg ze later in het hok aan Anita. 'Waarom is ze weggegaan?'

Met een tersluikse blik keek Anita naar Boeke, om vervolgens ongeïnteresseerd in haar koffie te roeren. 'Coby moet thuis helpen. Haar moeder is aan haar hoofd geholpen en ze heeft drie broertjes en een zusje.' Daarna was ze in lachen uitgebarsten en Boeke had weer over zijn gulp gestreken.

"Ik werk nu in een warenhuis op de parfumerieafdeling. Alles weet ik van Chanel, Nina Ricci en Dior. Het is gaaf. Ik adviseer ook in make-up en iedere dag heb ik een model. Als je een foto stuurt kan ik advies geven."

Ze drukte op de verzendtoets en daarna maakte ze een nieuw bericht.

"Overmorgen is er een groot Gothic feest in een loods van de voormalige gasmeterfabriek. Kom ook, het wordt cool."
Ze kleedde zich uit en ging op een weegschaal staan. Tevreden tuurde ze naar de getallen toen ze zag dat ze onder de vijftig kilo woog. Nog even, besloot ze. Nu voelde ze zich nog te dik. Bij vijfenveertig kilo zou ze weer gaan eten.

3

'Ik sla je nog eens helemaal in elkaar.' Boeke stond wijdbeens voor de tafel van Kobes.

'Dat geintje flik je mij niet meer.'

'Ik heb inderdaad Galstar ingelicht. Je gaat te ver. Je weet hoe het met Coby is gelopen. Anne was helemaal overstuur.' Nerveus tikte Kobes met zijn voet tegen de tas onder zijn tafel. Hij vertrouwde er niet op dat Galstar in zou grijpen. God wist waarom hij het altijd voor Boeke opnam. Misschien om hem, Kobes, te pesten. Hij wilde hem op zijn plaats houden. Coby had hij er uitgegooid, in plaats van Boeke met zijn grote mond, die de aanstichter van alles was. Daar was hij getuige van geweest. Hij had het kind gegrepen in het hok. Boeke bleef ontkennen.

'Ze lokt het zelf uit', riep hij toen de politie erbij was gehaald. 'Met zowat niks onder haar schort staat ze me op te vrijen.'

'Je weet dondersgoed dat Galstar ermee naar Wielinga loopt. Je bent een verrader. En verraders worden opgeknoopt!' Dreigend boog Boeke zich over de tafel.

'Ik zou maar op mijn woorden letten. De politie is hier al eens over de vloer geweest. Je hebt nog een kans gekregen, maar die is snel verspeeld als het aan mij ligt.' Bleek weggetrokken en met trillende handen bukte Kobes zich naar zijn tas onder de tafel. Het was genoeg geweest. Boeke stond hem regelrecht te bedreigen. In zijn tas had hij pepperspray verborgen, een ketting en een dik touw. Al lange tijd liep hij rond met het plan Boeke uit pure zelfverdediging aan te pakken.

Hij verdiende het dat hijzelf eens bang werd, in plaats van anderen die hij altijd aanviel en afblafte.

'Hè ouwe, wat sta je onder de tafel te rommelen? Wil je er vandoor?' Boeke deed een stap opzij en ging naast de tafel staan. Toen Kobes overeind kwam gaf Boeke hem een forse duw, waardoor hij achterover op de grond viel. Boeke boog zich over hem heen en op dat moment spoot Kobes pepperspray in zijn gezicht.

'Vuile flikker.' Met zijn handen voor zijn gezicht rende Boeke als een dolle stier door de postkamer. Hij jankte van pijn toen hij over een stoel struikelde en hij met zijn gezicht plat voorover op de grond viel. Wild trapte hij om zich heen.

Kobes had intussen de ketting tevoorschijn gehaald. Hij sloop op Boeke af en knielde achter hem om de ketting om zijn hals te kunnen leggen.

'Water! God, man, pak een beker water!' Boeke trapte wild met zijn benen. Kobes krabbelde overeind en liep naar het hok. Vreemd, bedacht hij daarbij. Ik gehoorzaam hem, hoewel ik nu de baas ben.

De deur zwaaide open en Wielinga stapte de postkamer binnen.

'Wat is dat hier voor kabaal? Jullie hadden allang weg moeten zijn. De schoonmaakploeg kwam mij waarschuwen.' Hij bukte zich over Boeke, die met een rood aangelopen en betraand gezicht op de grond lag.

'Ik ben verblind!' Hij kreunde terwijl hij heen en weer rolde. 'Kobes heeft spul in mijn gezicht gespoten.' Wielinga pakte de ketting bij het hoofd van Boeke en kwam weer overeind.

'Wat moet dat Kobes?' Met een beker water in zijn hand stapte Kobes de postkamer binnen.

'Ben je gek geworden?'

'Boeke moest een lesje leren. Dat spul is onschadelijk.' Hij goot de beker water leeg boven het gezicht van Boeke.

'Ziezo. Het is nu voorbij.'

'Het is helemaal niet voorbij.' Wielinga pakte Kobes vast bij een arm.

'Deze hele vertoning gaat je je kop kosten. Mee naar het kantoor.' Hij sleurde Kobes naar de gang. 'Wilde je hem soms vermoorden?' Wielinga hield de ketting omhoog.

'Ach, Boeke heeft gewoon een waarschuwing nodig. Meer is het niet. Hij heeft mij een trap gegeven.'

Besluiteloos woog Wielinga de ketting in zijn hand. Eigenlijk kon hij Kobes niet missen en Boeke kon het bloed onder je nagels vandaan halen. Dat wist iedereen. Misschien was het een onschuldig bedoelde grap. Hij zuchtte. Hij was moe en wilde naar huis.

'Je boft dat het vrijdag is Kobes! Hij overhandigde hem de ketting.

'Jullie ruimen allebei de troep op en sluiten de boel af. Maandag zien we verder.'

'Gelukkig, daar ben je.' Met haar fiets aan haar hand stond Anne voor het warenhuis. 'Wat zie je er uit!' Anita remde af en reed met haar rode scooter de stoep op. Met een mengsel van bewondering en afkeuring keek ze naar Anne, die zich zwaar had opgemaakt. Rond haar smalle gezicht met paars geverfde lippen had ze haar haren getoupeerd in een grote, wijd uitstaande krans. De haren stonden stijf van de rode haarlak. In haar rechterneusvleugel droeg ze een gouden ringetje. Haar magere lichaam werd geaccentueerd door een strak, zwart jurkje boven een legging en zwarte laarzen. Er overheen fladderde een lange, rafelige zwart katoenen jas.

'Je weet nog niet wat je straks te zien krijgt. Dit is peanuts.' Anne monsterde Anita, die een zuurstokroze legging combineerde met witte laarsjes. Er boven droeg ze een zwart plooirokje dat strak gespannen zat rond haar heupen en een kort, roze nylon jack. Ook zij had zich zwaar opgemaakt, met grote, metalen oorringen.

'Je mag mijn zijden sjaal lenen.' Anne pakte uit haar handtas een donkere, zijden sjaal met een tijgerprint. 'Dat jack moet je uitdoen en die oorringen kunnen ook niet.'

Anita begon te lachen en drapeerde de sjaal rond haar hals. Ze startte haar scooter.

'Ik zie wel. Als ik het niks vind ga ik gewoon weer weg. Jij mag dan best blijven. Misschien hou ik het op een paar breezertjes.'

Anne volgde Anita met haar fiets. Toen ze begon te rijden greep Anne haar stevig vast bij een schouder, waardoor ze niet hoefde te trappen. Samen gleden ze over een geasfalteerde weg in de richting van de loods, waar het feest werd gehouden.

'Gebruik jij eigenlijk pillen?' Vragend keek Anita naar Anne naast haar. Ze stonden bij een stoplicht. 'Ze gebruiken toch altijd pillen op zo'n feest?'

Schichtig keek Anne opzij. Wat mocht Anita weten en wat niet? Maandag zouden ze weer samen op de postkamer staan. Misschien vertelde ze alles door aan Boeke.

'Heel soms. Maar ik word er beroerd van. Je moet ook nooit zomaar een drankje aannemen. Ze kunnen er spul in stoppen.'

'Nou, ze lagen thuis in een deuk toen ik vertelde waar ik naartoe ging. Bij ons nemen ze gewoon een biertje in het café.' Het stoplicht stond weer op groen en Anita startte haar scooter.

Toen ze zich even later aansloten bij de rij voor de ingang van de loods waar het feest werd gehouden, gaf Anita Anne een por. 'Je hebt niets teveel gezegd. Het is alsof ik in de rij sta voor het spookhuis.' Anne knikte en monsterde de rij. Ze had spijt dat ze Anita had meegenomen. Ze bleef maar giechelen en ze praatte zó hard, dat iedereen haar kon horen. Ze hoorde hier niet. Je moest meedoen. Erin opgaan.

Daarvoor zag je elkaar ook hier. Je was even weg van het alledaagse en had jezelf uitgedost als iemand anders. Als iemand die niet bang was voor de wereld. Moest je haar nou zien staan in haar roze legging met witte laarsjes. Haar roze, nylon jack wilde ze niet uittrekken. Eronder droeg ze een rood truitje dat strak zat rond haar grote, priemende borsten.

'Hier heb ik altijd veel succes mee', grijnsde ze. 'Binnen doe ik mijn jack uit.' Ze draaide met haar heupen. Anna keek de andere kant op. Het was vulgair hoe Anita was gekleed. Ze leek wel een hoer.

Met een snelle, onderzoekende blik ging de portier breeduit in de deuropening staan toen ze hun hand strekten voor een stempel. 'Het is Gothic dames. Horen jullie bij elkaar?'

'Ze is een keertje mee. De volgende keer weet ze wat ze aan moet trekken.' Anne ging voor Anita staan. Hij gaf hen met een routineus, verveeld gebaar een stempel. Ze mochten doorlopen.

In een grote, donkere ruimte met een rij kapstokken deed Anita haar jas uit. Vanuit een zaal klonk dreunende muziek en in het gedrang lukte het haar met moeite zich naar de kapstokken te worstelen. Anne stootte haar aan. Ze schreeuwde boven de muziek uit.

'Ik ga alvast naar binnen.' Anita knikte en smeet haar jas over een berg jassen op de kapstok. 'Ik ga mee.' Ze voelde hoe ze werd bekeken en rechtte haar rug, waardoor haar borsten naar voren priemden. 'Doodshoofden', mompelde ze. 'Ga opzij.'

In de zaal keek ze om zich heen. Overal zag ze groepjes die elkaar leken te bewonderen. Sommigen maakten wilde bewegingen op de dreunende muziek. Bij een bar zag ze Anne. Plotseling voelde ze hoe ze bij een schouder werd vastgepakt. Ze schudde haar schouders en keek geïrriteerd achterom.

Alles vond ze best, maar die spoken moesten niet aan haar gaan zitten.

'Boeke! Wat doe jij hier!' Met een grijns boog hij zich naar haar toe. In de donkere ruimte was zijn gezicht vaalbleek. Hij droeg een zwart motorjack met daaronder een T-shirt waar een doodshoofd op was geprint. In zijn rechteroor droeg hij een ringetje.

'Ik wist ervan. Leuk toch? Ik hou wel van griezelen.' Hij maakte wilde gebaren met zijn handen.

'Nou, ik vind het maar niks.' Nerveus speurde Anita naar Anne, die niet meer bij de bar stond. Ze zou in alle staten zijn als ze Boeke zag.

'Misschien ga ik zo wel weer weg. Wat moet ik tussen die spoken.' Ze brulde boven de muziek uit.

'Waar is het kipje?' Boeke keek quasi geïnteresseerd om zich heen, waarbij hij langs de borsten van Anita streek. Ze gaf hem een tik op zijn handen.

'Afblijven Boeke. Anne is iets te drinken halen.'

Op hetzelfde moment zag ze dat Anne zich met twee breezers in haar handen door de menigte worstelde. Boeke zag het ook en stapte op haar af. Anita zag dat de mond van Anne vertrok toen ze Boeke in haar vizier kreeg. Ze draaide zich van hem af en maakte aanstalten om terug te lopen naar de bar.

Hij was haar echter te snel af en Anita zag dat hij een flesje uit haar handen griste. Grijnzend liep hij vervolgens terug naar Anita.

'Hebbes.' Boeke nam een slok, daarna hield hij het flesje vragend omhoog.

'Jij ook?'

'Je moet niet zo etteren tegen Anne. Nu is ze weg. Ik ben niet met jou gekomen.' Anita duwde Boeke opzij en wurmde zich door de menigte, in de richting van de bar.

'Ik drink dit op en ga naar huis.' Met een vertrokken gezicht zette Anne een flesje breezer aan haar mond. 'Boeke is de laatste waar ik op zit te wachten.'

'Joh, er zijn hier mensen genoeg. Laat je avond niet verpesten.' Met een ruk draaide Anne zich naar Anita.

'Heb jij soms verteld dat we hier naartoe gingen?'

'Wat denk je wel! Spook!' Anita deed een pas naar achteren.

'Wat verbeeld je je trouwens? Je komt net kijken. Boeke mag komen waar hij wil.' Woedend draaide Anita zich af van Anne. Ze wurmde zich weer in de richting van Boeke.

'Geef mij eens een slok.' Ze griste zijn flesje uit zijn handen toen ze voor hem stond.

'Die griet heeft alleen maar kapsones!' Boeke draaide met zijn heupen.

'Eindelijk wijsheid. Ik haal een biertje voor je.' Hij beende naar de bar, waarbij hij mensen ruw opzij duwde.

'Kipje!' Met een grijns gaf hij Anne een por.

'Je moet je niet zo opfokken. Gezellig toch? Een bedrijfsuitje. Je ziet er geweldig uit!'

'Flikker op Boeke!' Met een klap zette Anne haar flesje op de bar. Het is al erg genoeg dat ik je op het werk tegen moet komen.'

De ogen van Boeke lichtten voor een paar seconden op en hij vertrok zijn mond. Daarna verscheen er weer een grijns op zijn gezicht. Hij bestelde twee flesjes bier.

'Weet je wat Kobes mij heeft geflikt?' Hij boog zich naar Anne.

'Pepperspray. Rommel in mijn ogen. Weet jij daar soms meer van?'

'Ach man, donder op!' Anne draaide zich van hem af en verdween in de kluwen op de dansvloer.

'Ik ga er vandoor.' Met haar handen in haar zij stond Anne voor Anita. 'Je ziet er niet uit overigens. Dat had ik je nog willen zeggen. Het is of je zo achter de kassa bij Jamin vandaan komt. En als je nog eens wat weet... Je hebt je mond voorbij gepraat tegen Boeke.'

'Joh!' Anita gaf Anne een duw. 'Kapsonesgriet.' Kwaad beende Anita naar de ruimte waarin haar jas aan een kapstok hing. Tranen stonden in haar ogen. Wat verbeeldde Anne zich wel? Ze vond Boeke ook een griezel, al zei ze er nooit iets over. Waarom zou ze?

Ze had het baantje op de postkamer nodig en geen zin in toestanden. Anne had gemakkelijk praten. Ze kwam net kijken. Zij had een moeder die voor haar zorgde. Ze kon zo weg als ze wilde. Voor Anne was het net een vakantiebaantje. Nou, ze hoepelde maar op.

Terwijl ze driftig tussen de berg jassen griste haalde ze haar neus op. Waar moest zij heen als ze weg wilde? In het warenhuis wilden ze haar niet op een afdeling hebben. Wielinga had dat ooit laten doorschemeren toen ze erop zinspeelde. Ze had niet doorgeleerd en ze was te oud. Voor de meeste afdelingen zochten ze meisjes van rond de zeventien, ongeveer net zo oud als Anne. Zij was al bijna tweeëntwintig. En thuis hadden ze het geld nodig. Ze mocht geen risico's nemen. Haar vader zat sinds heugenis thuis na het ongeluk op het spoor, en haar moeder lag vaker ziek op bed dan dat ze voor haar broertjes en zusjes kon zorgen. Als zij geen geld binnenbracht, was er gewoon geen eten. Ze smeet een paar jassen op de grond en eindelijk kon ze haar jas met een paar rukken tevoorschijn trekken.

'Ga je er vandoor?' Boeke stond achter haar. Hij had een flesje bier in zijn hand.

'Die pestgriet zoekt het maar uit. Ik vind het toch al helemaal niks. Het is een spookfeest met waardeloze dreunmuziek.'

'Waar is het kipje?' Boeke nam een slok bier, terwijl hij Anita vanuit zijn ooghoeken gadesloeg.

'Weet ik veel. Misschien is ze er vandoor. Ze zou ook weggaan.'

'Hebben jullie ruzie gemaakt?'

'Ach, ze heeft gewoon kapsones. Ze zei dat ik er niet uitzie. Moet je haar zien!' Anita gooide haar hoofd achterover. 'Ze is mager als een lat.'

Boeke streek vluchtig over haar borsten. Daarna legde hij een hand op haar schouder.

'Dat truitje staat je geweldig. Maandag mag je weer mee naar de kelder.' Hij grijnsde.

'Voorlopig ga ik naar huis.' Anita duwde hem ruw opzij en liep naar de deur. Toen ze op het punt stond om de portier te passeren keek ze nog even achterom, maar Boeke was alweer in de menigte verdwenen.

Happend naar adem fietste Anne tegen de wind in langs het fabrieksterrein waar het feest werd gehouden. Het liep tegen twee uur 's nachts en de eerste druppels regen vielen op haar veel te dunne katoenen jas. Ze rilde. Als het maar niet harder ging regenen, overwoog ze terwijl ze afstapte om zich te oriënteren. Ze was er niet op gekleed en zou doornat thuiskomen. Op goed geluk boog ze linksaf, omdat ze in de verte een rij huizen zag. Ze stak de weg over en stapte vervolgens weer op haar fiets. Diep voorovergebogen trapte ze in de richting van de huizenblokken.

Anita had ze niet meer gezien. Ze was er vast al vandoor gegaan. Het was geen goed plan geweest haar mee te vragen. Het was alleen al een ramp hoe ze eruit zag met dat vette lijf in die roze legging! Hoe kwam ze op het idee zoiets aan te trekken. Haar benen leken twee keer zo dik. En toen Boeke opdook had ze gewoon moeten lachen. Ze hadden een geintje uit willen halen. Dat wist ze zeker. Natuurlijk had ze doorverteld dat ze met haar naar een feest ging. Nou, maandag zou ze het haar inpeperen. Als ze haar maandag nog zag. Want ze was er niet meer zeker van of ze nog wel ging. Wat haar betreft konden ze allemaal de pot op.

Toen ze de huizenblokken naderde stapte ze weer af om een straatnaambordje te kunnen lezen. Stom dat ze thuis niet op de kaart had gekeken. Moest ze nu rechtdoor, of bij de eerstvolgende stoplichten afslaan?

'Er vandoor?' Boeke stond naast haar met zijn fiets aan zijn hand. Hij boog zich naar haar toe en greep haar fietsstuur vast. Ze rook een bierlucht die hij vol in haar gezicht wasemde.

'Wat moest je met Anita? Ze is overstuur naar huis gegaan. Het is dat ik je zag fietsen. Anders had ik haar thuis gebracht. Jullie waren toch samen? Samen uit, samen thuis!'

Angstig keek Anne om zich heen. Ze stonden op een fietspad naast een snelweg, waar op dit tijdstip spaarzaam wat auto's langs flitsten. Ze wrong haar fiets los van de greep van Boeke. Het was niet ver meer naar een kruising met stoplichten en aan de overkant ervan zag ze in sommige huizen licht branden. 'Wat moest je ook daar? Je liep met Anita te etteren. Ze is om jou weggegaan. Niet om mij.'

Ze stapte weer op haar fiets en trapte zo hard ze kon in de richting van de stoplichten. Boeke was echter sneller en even later fietste hij weer naast haar. 'Flikker op Boeke!' Ze hijgde door de harde windstoten en de regen striemde nu in haar gezicht.

'Je denkt geloof ik dat je met alles weg komt. Wat verbeeld je je wel?' Boeke passeerde haar en pakte opnieuw haar stuur vast. Ze begon te slingeren. 'Waar wilde je nou eigenlijk naartoe?' Dreigend boog hij zich opzij. Ze rilde en wreef pieken haar uit haar gezicht.

'Laat los Boeke!' Ze stapte weer af en lopend vervolgde ze het fietspad in de richting van de stoplichten, terwijl Boeke met een grijns naast haar bleef fietsen. Ze overwoog een sprint te nemen naar de huizenblokken en ergens aan te bellen waar nog licht brandde. Ze moest Boeke kwijt zien te raken.

'Je hebt het te hoog in je bol. Kobes heeft je natuurlijk het nodige ingefluisterd. Nou, die zal maandag ook geen praatjes meer hebben.' Boeke zwaaide van zijn fiets.

'Wat bedoel je?' Met een van woede vertrokken gezicht keek Anne opzij. Moest je die klootzak daar nu zien staan met die kale kop en die grijns. Als ze thuis was zou ze meteen de politie bellen. En mooi dat ze maandag niet meer naar haar werk ging. Ja, om een klacht in te dienen. Alleen daar nog maar voor. Ze hadden Boeke nooit op haar los mogen laten. Hij speelde natuurlijk onder één hoedje met Anita. Ze was er expres vandoor gegaan, en Boeke had op de loer gestaan om haar lastig te vallen.

'Ik bedoel dat Kobes voorlopig zijn bek houdt.' Boeke keek nu kwaad. Hij rochelde en spoog een fluim op de grond naast haar. 'Weet je wat hij geflikt heeft? Of weet je er soms meer van? Het is dat Wielinga eraan kwam.'

Anne begon te lachen. Waar was ze in hemelsnaam in terecht gekomen? Boeke die haar molesteerde en Kobes die hem met pepperspray te lijf was gegaan. Als het waar was.

'Moet je een klap op je muil hebben?' Boeke hief zijn hand. 'Sta je mij uit te lachen?'

'Je bent een zielenpoot man, zoals je daar staat.' Anne keek naar het stoplicht dat op groen sprong en nam een aanloop. Voorovergebogen over haar fiets trapte ze zo hard ze kon, totdat ze een tik tegen haar schouder voelde. Ze keek opzij naar Boeke en zag vanuit haar ooghoeken dat achter hem een vrachtwagen naderde, die aanstalten maakte om de weg op te draaien. Ze minderde vaart zodat ze weer naast Boeke reed. In een snelle beweging liet ze met haar linkervoet haar pedaal los, en gaf hem een krachtige trap tegen zijn voorwiel. Hij begon te slingeren en terwijl hij zijn evenwicht trachtte te hervinden gaf ze hem een harde trap tegen zijn benen. Op dat moment maakte hij met zijn fiets een uitglijder over het spekgladde asfalt. Hij smakte onder zijn fiets op de grond.

Achter hem toeterde de vrachtwagen en ze hoorde gierende remmen, een schreeuw en een doffe dreun. Zonder om te kijken sprintte ze er vandoor.

4

'Anne, mee naar kantoor.' Wielinga greep haar vast bij een arm toen ze op het punt stond de postkamer binnen te stappen. Het leek of hij op haar had staan wachten.

'Binnen is het even te druk.' Met een ineengekrompen maag door de schrik liep Anne achter Wielinga, die met driftige passen de trap nam naar de etage waar hij zijn kantoor had.

Nu zou je het krijgen. Anita had het hele verhaal natuurlijk verteld aan Kobes, Wielinga en misschien wel aan Galstar. Daarbij vreesde ze het ergste voor Boeke. Vanmorgen had ze niet willen gaan en was ze in bed blijven liggen. Ze voelde zich beroerd door het vooruitzicht weer naar de postkamer te moeten. Het was dat haar moeder niets mocht weten, waardoor ze zich uiteindelijk met moeite had aangekleed en op de fiets was gestapt, anders had ze zich ziek gemeld.

'Ga zitten.' Met een kort gebaar wees Wielinga naar de stoel voor zijn bureau. 'Je begrijpt dat ik meer wil weten, als je tenminste niet wil dat de politie je aan de tand voelt.' Terwijl hij op zijn bureaustoel plofte keek hij vluchtig op zijn horloge. 'Ten eerste ben je te laat. Ten tweede is Anita met een verhaal op mij afgestapt waar de rillingen van over mijn rug lopen.' Hij pauzeerde en keek haar indringend aan. 'Kobes is dood. Wist je dat? Hij heeft met Boeke gevochten. We vonden Kobes in het hok. Hartinfarct. Het is gruwelijk. Boeke ligt zwaar gewond in het ziekenhuis. Verkeersongeluk. Daar zou jij meer van weten.'

Met een droge mond keek Anne naar Wielinga. Kobes dood en Boeke in het ziekenhuis. Koortsachtig dacht ze na. Toen ze na een wilde rit tegen drie uur 's nachts thuiskwam, was ze de trap opgeslopen zonder haar moeder wakker te maken. De volgende dag vertelde ze losjes dat het een leuk feest was. Niemand hoefde iets te weten over Boeke had ze besloten. Het was zelfverdediging geweest. Maandag zou ze gewoon naar haar werk gaan, om in de loop van de week op te zeggen. Ze vond wel weer iets anders. En nu zat ze meteen op kantoor bij Wielinga.

'Boeke was samen met Anita en jou op een feest, klopt dat?' Wielinga boog zich over zijn bureau. 'Jullie zouden ruzie hebben gehad.'

'Nou en?' Anne sprong op van haar stoel. 'Boeke liep de sfeer te verpesten. Het is zijn schuld dat Kobes dood is.'

'Rustig maar. Je mag straks naar huis. Er loopt politie rond op de postkamer. Als je mij rustig vertelt wat er is gebeurd, laat de politie je met rust. Daar zal ik voor zorgen.'

Gekalmeerd ging Anne weer zitten.

'U weet hoe Boeke is. Ik stap sowieso op. Vanaf het begin heeft hij lopen treiteren.'

'Hoe Boeke was. Hij ligt in coma. Zwaar hersenletsel. Hij is onder een vrachtwagen gekomen.'

'Jammer voor hem. Maar Kobes is dood.' Nerveus wiebelde Anne met haar benen. Was ze gezien door de vrachtwagenchauffeur? Zag hij dat ze Boeke een trap gaf? Wat wist de politie en wat niet?'

'Tja.' Wielinga zuchtte. 'Het is een drama. Kobes heeft helemaal niemand. Daar zijn we vanmorgen achter gekomen. Hoe kon hij ook anders ongemerkt een weekend in het hok liggen? Er is niemand die we in kunnen lichten. Vreemd niet? Hij werkte hier langer dan twintig jaar. Nooit is iemand op het idee gekomen naar zijn achtergrond te vragen. Nooit getrouwd, geen familie voor zover we kunnen nagaan.'

'En Boeke?' Anne plukte aan een groene katoenen trui die ze vanmorgen in haast uit de wasmand had geplukt. Hij was van haar moeder en slobberde over haar magere lichaam. Het was net alsof ze zich in de trui kon verstoppen.

'Boeke is een ander verhaal. Hij heeft een vader en een zus. Ze zijn bij hem. Het schijnt dat hij dronken was. Zijn alcoholpromillage lag vrij hoog. En er was slecht zicht. Het stortregende zaterdagnacht. Hij fietste in een dode hoek van een enorme trucker met oplegger. Jij was al naar huis vertelde Anita. Ze heeft je weg zien fietsen.'

Anne knikte opgelucht. Niets over haar, niets over de worsteling op het fietspad. Op dat moment werd er aan de deur geklopt en meteen daarop stapte Anita naar binnen.

'Beneden wordt op u gewacht.' Met een hooghartige blik monsterde ze Anne.

'Ik dacht dat je niet meer kwam. Maar je zit hier.'

'Anne mag naar huis.' Wielinga knikte naar Anne.

'De rest wikkelen we later af.'

'Zo, jij komt makkelijk weg.' Anita ging met haar armen over elkaar in de deuropening staan. 'Moet ik alles in mijn eentje oplossen?'

'Anita, ik regel de zaken hier. Anne heeft niks met Kobes te maken en hier is weinig voor haar te doen. Ze is hier pas, het meisje is overstuur.'

'Nee, nou wordt ie goed. Ze komt overal mee weg. Boeke ligt in het ziekenhuis, Kobes dood in het hok, en zij mag er vandoor.'

Anne sprong op en liep naar Anita. 'Ik wil Kobes zien.'

'Dat zal niet meer gaan.' Met een venijnige blik deed Anita een stap naar achteren om Wielinga door te laten. 'Kobes is al weggebracht. Hij zat onder het bloed. Helemaal toegetakeld.'

'Dan help ik jou.'

'Mij?' Anita begon te lachen.

'Waarmee?' Alles komt door jou. Je zet iedereen tegen elkaar op. Hoe ik thuis ben gekomen interesseert je geen barst.'

'Waar is Galstar?' Anne negeerde de laatste opmerking van Anita. Ze kon toch niks goed doen. Tegen Galstar zou ze zeggen dat ze naar huis ging en niet meer terugkwam. Wielinga wilde ze ook niet meer onder ogen komen. Hij zocht het maar uit.

'Galstar is mee met de politie. Een verklaring afleggen. Hij heeft Kobes gevonden.'

'Dan doen we samen de post.' Anita zuchtte en het leek of er iets in haar brak. Haar lippen trilden. 'Goed dan. We zien wat we nog kunnen doen.'

'Ik heb je op je scooter weg zien rijden. Je liet mij gewoon staan.' Samen zaten ze boven in het restaurant. Wielinga had zich bij Galstar en de politie gevoegd. Voorlopig konden Anne en Anita weinig uitrichten, omdat de postkamer werd doorzocht. Anne nam een slok uit een flesje bronwater en plukte aan een gevulde koek. 'Je was gemeen. Met Boeke stond je in de garderobe te kletsen. Hoe wist hij dat wij op het feest waren? Hij stapte meteen op ons af.'

'Hij wist het niet van mij. Hij heeft het van een ander gehoord. Misschien van Kobes.'

'En nu?'

'Boeke zien we natuurlijk niet meer. Hij schijnt in coma te liggen. Als hij wakker wordt kan hij niks meer.' Anita nam een hap van een moorkop die ze uit de vitrine had gepakt. Driftig roerde ze in haar koffie. 'Als alles voorbij is ga ik ook weg. Mooi dat ik hier niet meer wil werken. Weet je hoe Kobes is gevonden?' Anne schudde haar hoofd.

'Hij lag in een hoek op de grond. Overal bloeduitstortingen en wonden. Boeke heeft hem afgeranseld en toen laten liggen met de deur op slot.' Anne nam een hap van de gevulde koek en een slok bronwater. Ze trok bleek weg.

'Ik word niet goed.'

'Moet je kotsen?' Anita stond op en liep naar haar toe. 'Jij hebt toch niks gezien? Ik wel!' Op dat moment zag ze Galstar. Hij kwam op hen toelopen. 'Het is over.' Met een bleek en van moeheid afgetobd gezicht stond hij voor hen. Hij greep naar zijn hoornen bril en wreef in zijn ogen. 'Wielinga was getuige van een vechtpartij tussen Boeke en Kobes. Er kwamen pepperspray en een ketting aan te pas. In een tas van Kobes is nog een touw gevonden.' Hij plaatste zijn handen op de tafel omdat hij trilde over zijn hele lichaam. 'God weet wat Kobes zich in zijn hoofd haalde. Nadat Wielinga is weggegaan moet het zijn gebeurd.'

Anne slikte en voelde zich duizelig worden. 'En nu?' Anita klopte op de rug van Anne, die zich over de tafel boog om haar misselijkheid de baas te kunnen blijven.

'Tja.' Galstar wreef in zijn ogen. 'Kobes is weggebracht. De hulpverlening gaat achter adressen aan. Wielinga is van alles aan het regelen. Het schijnt dat Kobes niemand heeft.'

'Ik ga naar huis.' Anne richtte zich op en schoof haar stoel naar achteren.

'Dat begrijp ik.' Galstar knikte. 'Er moet een advertentie komen. Een bericht in de krant. Wielinga maakt iets moois met je naam erbij. Dat is toch wel goed?'

'Wij vinden dat best, nietwaar?' Anita passeerde Galstar en ging weer zitten.

'Als hij niemand heeft moeten wij het doen.'

'Dan hebben we dat geregeld.' Galstar draaide zich om en verliet het restaurant.

'Ook zielig.' Anita boog zich voorover naar Anne. 'Ik heb nooit geweten dat Kobes niemand had. Hij praatte ook heel weinig.' Anne stond op en pakte haar dienblad. 'Ik ga nog even langs Wielinga. Ga je mee? Ik ga opzeggen.'

'Best. Mij zien ze hier ook niet meer.' Anita volgde Anne naar de lift.

Even later stonden ze allebei in het kantoor van Wielinga. Nerveus draaide hij in zijn bureaustoel. Toen ze voor hem stonden schoof hij een vel papier naar hen toe.

'Wat vinden jullie?'

"In plaats van kaarten." Met ogen die groot waren van verbazing spelde Anita de tekst die voor haar lag. Ze schoot in de lach. Eerst ingehouden, en daarop voluit. Ze gooide haar hoofd achterover en gaf Anne een por. 'In plaats van kaarten? Die is goed.' Ze trok Anne mee naar de deur. 'Voor Kobes kunnen we geen kaarten versturen. En Boeke? Moeten we hem soms een kaart sturen?'

Anne hapte naar adem. Ze wurmde zich los van de greep van Anita en rende de gang op. Ze moest overgeven en opende lukraak een deur, waarvan ze meende dat zich daarachter een toilet bevond. Ze struikelde een ruimte binnen en opende nog een deur. Boven een wasbak stak ze haar vinger in haar keel en kokhalsde ze de paar stukken koek eruit die ze een uur daarvoor naar binnen had gewerkt. Haar keel brandde en met een rood aangelopen gezicht kwam ze overeind. En nu rennen, dacht ze. Naar huis.

Met een klap sloot ze de deuren achter zich. Ze rende de trappen af naar de parterre van het warenhuis. Toen ze tussen het winkelende publiek stond beende ze naar de uitgang. Bij de draaideur klopte haar hart in haar keel toen ze een politiebus zag staan. Ze keek om en zag dat niemand haar opmerkte. Ze haalde diep adem en stapte zo achteloos mogelijk, alsof ze winkelde, door de draaideur naar buiten. Ze keek nog één keer om toen ze haar fiets van het slot haalde. Daarna sprong ze op haar fiets en trapte zo hard ze kon naar huis.